LL DAMAID

AMBELL DAMAID

Pytiau difyr, diddan a diddorol
i ddifyrru'r amser

Dewi Jones

bwthyn
GWASG Y BWTHYN

Cyhoeddwyd ac argraffwyd yn 2020 gan
Gwasg y Bwthyn, Caernarfon
gwasgybwthyn@btconnect.com

ISBN 978-1-912173-37-2

Cyhoeddwyd gyda chymorth ariannol
Cyngor Llyfrau Cymru.

CYNNWYS

Rhagair a Diolch

WRTH RYW DRUGAREDD y mae yna ddosbarth o lyfrau a ystyrir yn rhai ysgafn. Dyna, wrth gwrs, lle yr hoffwn innau i'r gyfrol hon fod, ymysg y llyfrau y gellir eu tynnu atoch ar derfyn diwrnod trafferthus o waith, heb orfod poeni fawr ddim am eu diffyg ymlyniad wrth ffeithiau caeth na chael eu hystyried yn ddogfen o dragwyddol bwys yng nghyswllt hynt a helynt yr hen fyd yma. Na fydded i'r gyfrol hon eich cadw'n effro funud awr. I'r gwrthwyneb a dweud y gwir. Gadewch i'r awdur ymboeni yn ei chylch, ei gwendidau, ei chamgymeriadau, ei methiannau a'i diffyg gweledigaeth. Ond os cewch ynddi unrhyw gyffyrddiad o ddoniolwch, o "Ylwch" neu o'r "Tewch da chi", fe fyddwn wrth fy modd.

Cefais y fraint o fod ynglŷn â phapur bro *Yr Arwydd* am 35 o flynyddoedd, fel golygydd o 1982 i 2002 ac fel colofnydd hyd at 2016. A dyna sydd rhwng cloriau'r llyfr hwn, tameidiau o golofnau "Ambell Damaid" a lloffion yma ac acw o'm blynyddoedd fel golygydd. Mae yma "A welais ac a glywais" hefyd, pytiau a ddaeth i'r golwg, i'r glust ac i'r cof ar hyd y blynyddoedd.

Pleser yw diolch i swyddogion a darllenwyr *Yr Arwydd*, am eu hymroddiad cynnes, yn enwedig i R. Geraint Thomas, R. P. Williams, Ted Hughes a'r diweddar annwyl Alwyn Owen. Bu eu cwmni yn fraint ac yn bleser. Diolch hefyd i Wasg y Bwthyn ac i Geraint Lloyd Owen am ei eiriau caredig a'i sylwadau adeiladol. Wrth gwrs mae gennyf le i ddiolch i'r teulu. I Magdalen am ei chymorth parod, ei chynhaliaeth feddyliol a'i chariad craff at ein hiaith. I Rhys am ei gof a'i gymwynasau lu ac i Dafydd am ei frwdfrydedd heintus a'i gof a'i fysedd nwyfus, sicr. I Gwen Elin a Deio hefyd gan obeithio y cânt hwythau gymaint o bleser mewn geiriau ag a gefais i ar hyd y blynyddoedd. Mae fy nyled yn fawr iddynt i gyd.

Dyma, felly, eich croesawu ar gychwyn eich taith trwy gymaint o gybolfa ag sydd o'ch blaen. Wel, rŵan 'te, "bant â'r cart" gan obeithio y cewch chwithau ambell linell i hogi'r meddwl, ambell awgrym i gnoi cil arno ac ambell damaid i gymell gwên yn awr ac yn y man.

Dewi
Benllech, Ynys Môn, 2020

Yma ac Acw

Dyma gychwyn gydag englyn John Penry Jones:

> Mae Ionawr ar y mynydd – a gwelwch
> Yw golwg y meysydd;
> Ond daw yn newid tywydd,
> Ac yn y fan Gwanwyn fydd.

CYMERWYD pleidlais yng nghoridorau ffasiwn yn ddiweddar ac fe ddyfarnwyd mai merched Cymru oedd y mwyaf *glamorous*, y mwyaf hudol-brydferth, o holl ferched y Deyrnas Unedig. Yn dynn ar er eu sodlau (uchel) yr oedd Llundain, yr Alban, Dwyrain y Canoldir, y Gogledd Orllewin a Gogledd Iwerddon. Yr wyf wedi dweud wrth Magdalen (sydd o Faesteg) fy mod am wneud cais i newid yr enw Glamorgan yn Glamourgan! Dywedodd un o dywysogesau byd y tlws a'r trwsiadus, Clare Spurrell (gydag enw fel Spurrell fe ddylai hi wybod ystyr geiriau), nad oedd yn synnu dim at oruchafiaeth lodesi Cymru gan mai hen air Cymraeg oedd *glamour* – dyna oedd enw'r colur a roddai'r Brythoniaid ar eu crwyn cyn mynd i'r frwydr. A dyna i chi un rheswm arall dros i ni'r dynion fod yn ochelgar!

Mwya'n y byd o sylw a rydd dyn i hynodion byd natur
mwya'n y byd y daw'n ymwybodol o'r drefn fawr sydd y tu
cefn i'r holl ryfeddodau. Tynnwyd fy sylw at hynodrwydd
bywyd yr albatros – gwas y weilgi, yr aderyn a anfarwolwyd
gan y bardd Coleridge yn ei gerdd "The Ancient Mariner".

> A thro ysgeler wneuthum
> Gan godi gwae di-baid,
> Fe leddais yr aderyn mwyn
> A hudai'r gwynt o'n plaid.

Os cafodd yr albatros anfarwoldeb o gwbl fe'i cafodd gan i
un ohonynt gael ei saethu yn y gerdd honno a chan i filoedd
ohonynt gael eu dal mewn rhwydi anferth ym Môr y De
– rhwydi pysgota hirion cyhyd â'r ffordd bost o Fynydd
Bodafon i Bumlumon. Ond dyma'r ffeithiau a ddenodd
fy niddordeb yn yr albatros. Fe hedfanodd un albatros
penllwyd yr holl ffordd o gwmpas y byd mewn pedwar
diwrnod a deugain. Fe all yr albatros brenhinol hedfan am
bum mlynedd heb lanio. Ni all yr un albatros hedfan heb
gymorth gwynt o dros un filltir ar ddeg yr awr. Mae codi i'r
awyr yn golygu i'r albatros redeg dros y dŵr am filltir. Fe all
yr albatros fyw am dros drigain mlynedd.

Fe ellid achub miloedd o weision y weilgi trwy osod y
rhwydi yn y nos pan nad yw'r adar yn hel eu bwyd, lliwio'r
abwyd yn las rhag i'r adar ei weld neu roi mân rubanau
rhwng y llongau i ddychryn yr adar i ffwrdd.

SYLWAIS BOD un o ohebwyr y *Western Mail* wedi baglu yn ei adroddiad am Gwrw Llŷn, neu Gwrw Llyn yn ôl ei adroddiad ef. Dewisodd gyfieithu enw'r llymaid fel "Lake Beer" ac fe aeth ymlaen i ganmol y diod dyfrllyd hwnnw i'r cymylau. Mae'n debyg fod yna ryw fath o berthynas rhwng Cwrw Llŷn a Guinness gan fod y ddau yn dod o'r un cyfeiriad fel petai. Daw'r enw Leinster o elfen gyntaf y gair *Laigin* a'r gair Gwyddeleg *tir*. Yn Leinster yr oedd llwyth y Laigin yn trigo ac yn y bedwaredd a'r bumed ganrif, wedi i Macsen Wledig a'i fyddin ddychwelyd i Rufain, fe groesodd llawer o'r Laigin yn eu cychod o goed a chrwyn, eu cwryglau, a sefydlu yng ngwlad Llŷn, ym Môn a glannau afon Clwyd. Mae eu hetifeddiaeth yn ein gwaed, mae'n debyg, ac yn yr enw Llŷn ond nid yn ein cwrw.

BÛM YN FFODUS mewn ewythr a modryb a phan yn laslanc arferwn aros gyda hwy yn Llundain am fis, fwy neu lai, yn yr haf. Ac yr oedd yno gyfoeth o lyfrau hefyd. Rhyw ddwywaith yr wythnos byddwn yn crwydro strydoedd y ddinas o fore gwyn tan nos gan roi sylw cegrwth i lawer amgueddfa a phlas. Wrth gerdded ar hyd y Strand i gyfeiriad Stryd y Fflyd fe gawn weld enw'r Herald Cymraeg ar ffenestr ail lawr un adeilad. Yn y Strand arferwn droi i'r chwith i stryd fach gul oedd yn arwain i Gough Square lle bu'r geiriadurwr, y bardd a'r llenor enwog, Samuel Johnson (1709-1784) yn byw. Fentrais i erioed i mewn i'w gartref ond rhaid oedd troi ato i weld a oedd y tŷ yno o hyd. Cyhoeddodd Johnson ei eiriadur Saesneg yn 1755, ganrif a hanner cyn cyhoeddi unrhyw eiriadur Saesneg arall o bwys.

Cofnodwyd geiriau olaf Isapwo Mukiska, pennaeth llwyth y Crowfoot, a fu farw yn 1850 (maddeuwch i mi am ddweud mai pry tân (*glow worm*) yw tân bach diniwed ac mai *buffalo* yw bual):

Yn y man fe fyddaf wedi ymadael o'ch plith, i ble nis gwn. Fe ddaethom o rywle ac i rywle yr awn. Beth yw bywyd? Fflach ydyw o dân bach diniwed yn y gwyll, anadliad bual ar fore o aeaf, cysgod sy'n llifo ar draws y borfa i ymgolli yn y machlud.

Amheuthun o dro i dro yw mwynhau cwpanaid o goffi Cappuccino ar ôl tamaid o ginio. Mae rhywun yn dyfalu beth sydd y tu cefn i ryw enw felly. Meddwl i ddechrau a oedd a wnelo'r gair *cap* rywbeth â'r peth, *cape* yn enwedig. A dyna ichi'r gair Ffrangeg *capuche* sy'n golygu penwisg. A dyna i chi'r *capote* wedyn, mantell laes hefo cwfwl neu gycwll. Ac am eu bod yn gwisgo penwisgoedd neu gycyllau felly galwyd rhai o urdd y mynachod Ffransisgaidd a sefydlwyd yn 1528 yn *Capuchins*.

Ac yn Ne America y mae yna fwncïod gyda math o gwcwll ar y talcen sydd yn rhoi'r enw *capuchin* iddynt hwythau, am eu bod yn debyg i'r mynachod. Ond beth am y coffi? Gair Eidaleg am gwcwll yw *cappuccino*. A oedd y mynachod yn hoff o'r math yma o goffi ynteu a oes rheswm arall dros ei alw felly?

MAE'N DEBYG i mi grybwyll o'r blaen ond fe gofiaf y garreg filltir honno wrth dalcen Siop Ty'n-y-gongl a charreg filltir arall ym môn y clawdd o flaen Eugrad Villa ym Marianglas, a dyna roddodd i mi'r syniad o hyd milltir dros y blynyddoedd, cyn i Ewrop fynd â'i maen metrig i'r wal a difetha popeth.

Gosodwyd y cerrig milltir cyntaf gan y Rhufeiniaid. Credir iddynt seilio eu mesuriadau ar y Garreg Filltir Aur (y Milliarium Aureum) sydd ym mur eglwys Sant Swithin yn Stryd Cannon yn Llundain. Fe elwir y garreg honno heddiw yn Garreg Llundain a cheir yr unig garreg filltir Rufeinig arall sydd ar ôl mewn lle o'r enw Stanegate yn Northumbria.

Wedi i'r Rhufeiniaid ymadael ni bu gosod cerrig milltir tan y ddeunawfed ganrif. Yn dilyn Deddf y Tollbyrth yn 1766 daeth gorfodaeth i osod cerrig milltir i atal twyll yr halwyr. Ond nid arhosodd y twyll yn y fan yna chwaith gan fod y pellteroedd yn anghywir ar rai cerrig trwy orchymyn brenhinol! Roedd angen i'r brenin fynd â'i weinidogion hefo fo pan deithiai dros hanner can milltir o Lundain. Âi hyn dan groen Siôr IV gan iddo fod yn ffond iawn o bicio i Brighton, 52 milltir o Lundain. Trefnodd felly i bob carreg filltir nodi llai na hanner can milltir.

Tybed ai carreg filltir oedd y Garreg Wen hudolus honno a dynnodd gymaint o sylw Sarnicol?

> Ar ben y lôn mae'r Garreg Wen
> Yr un mor wen o hyd,
> A phedair ffordd i fynd o'r fan
> I bedwar ban y byd.

Y MAE HILLARY CLINTON o dras Cymreig ar ochr ei thad ac ar ochr ei mam. Enw ei thad oedd Hugh Ellsworth Redham ac enw ei mam oedd Dorothy Howell, y ddau yn ddisgynyddion i lowyr o Dde Cymru. Enw tad Dorothy a thaid Hillary oedd Edwin John Howell, dyn tân yn Chicago, ac enw ei mam oedd Della Murray. Yr oedd Hugh Ellsworth yn fab i Hugh Redham a Hannah Jones ac fe'i magwyd ar aelwyd Fethodistaidd yn Little Rock. Gweithiai Hugh Ellsworth fel trafaeliwr yn y diwydiant defnyddiau ac yn y man fe sefydlodd ei fusnes defnyddiau ei hun yn Chicago. Yr oedd yn Gymro hunanfeddiannol, gweithgar ac uchelgeisiol. Yr oedd mam a thad Dorothy wedi gwahanu ond yr oedd Hugh a Dorothy yn benderfynol o roi cartref sicr a dedwydd i'w plant, Hillary, Hugh a Tony. Bu farw Hugh Ellsworth yn 1993 ac fe'i claddwyd ym mynwent Scranton, yn ei dref enedigol ac yn y fynwent lle cleddid nifer o Gymry eraill. Yn 1975 fe briododd Hillary â Bill Clinton, oedd i ddod yn Arlywydd yr Unol Daleithiau. Yr oedd hithau erbyn hynny ar ei ffordd i fod yn Ysgrifennydd Gwladol yr Unol Daleithiau.

∻

FE YMWELODD ein cymdogion â'r Alhambra. Anferth o gastell yn Granada yn Ne Sbaen yw'r Alhambra, yn sefyll ar fryn cyfan yng nghysgod mynyddoedd y Sierra Nevada. Fe ddaw'r enw Sierra o'r gair Sbaeneg am lif (y teclyn llifio coed) ac fe rydd hynny syniad i chi o ffurf ddanheddog y rhesiad honno o fynyddoedd. Fe ddaw'r enw Alhambra o'r gair Arabeg am goch. Yng ngolau'r sêr mae'r muriau o liw arian ond yn yr heulwen fe drônt yn goch, fflamgoch. Codwyd yr adeilad i bwrpas militaraidd yn y lle cyntaf ac, yn ôl y llawlyfr, yr oedd yn gyfuniad anferth o gaer (*alcazaba*), o balas (*alcazar*) ac o ddinas (*medina*).

Yn yr Alhambra ceir llawer cyfeiriad canmolus at ŵr o'r enw Owen Jones, gŵr go arbennig a anwyd yn Llundain yn 1809. Owen Jones oedd enw ei dad hefyd, yn hanu o Lyn Myfyr, awdur y *Myvyrian Archaiology of Wales* a sefydlydd Cymdeithas y Gwyneddigion yn ninas Llundain.

Daeth Owen Jones, y mab, yn bensaer dylanwadol a chynllunydd enwocaf y bedwaredd ganrif ar bymtheg. Daeth i fri am ei astudiaeth o addurniadau'r Alhambra. Bu'n allweddol yn y gwaith o sefydlu'r South Kensington Museum, a adnabyddid yn y man fel y Victoria and Albert Museum. Ef oedd pensaer a chynllunydd y tu mewn i'r Great Exhibition yn 1851. Cyfrifid mai ef oedd cynllunydd addurniadol gorau ei oes. Ychydig a feddyliais, pan dynnodd f'ewyrth fy sylw at adlewyrchiad yr haul ar gwareli gwydr y Crystal Palace yn Sydenham erstalwm, mai Owen Jones oedd pensaer yr adeilad enwog hwnnw hefyd.

RYDYM WEDI arfer meddwl am Gastell Penrhyn fel cartref golud, a'r golud hwnnw wedi deillio o ddioddefaint caethweision a chwarelwyr. Efallai i'r duedd ddideimlad honno fod yn y gwaed o amser yr Arglwydd Penrhyn, AS, ganrif yn ôl, ac o gyfnod ei hynafiad yntau, Prys Gruffydd. Tuag 1880 fe syrthiodd Alice, merch y castell, mewn cariad ag un o'r gweision ac fe'i halltudiwyd i'w hystafell gan ei thad. Yn ystod ei charchariad fe grafodd Alice y geiriau "essere amato amando" a'i henw ar y mur. Credid mai cybolfa o eiriau Lladin oeddynt. Ond yn ddiweddar fe ddaeth Resi Tomat i'r castell a dweud mai geiriau Eidaleg oeddynt yn golygu "Caraf tra'm cerir". Bu Prys Gruffydd yn hwylio moroedd India'r Gorllewin ac yn herio'r Sbaenwyr am rai blynyddoedd, bu am gyfnod o chwe blynedd heb ddod yn agos at y Penrhyn. Cafodd ei absenoldeb effaith andwyol ar y stad ac yn 1616 bu rhaid ei gwerthu.

TYDI GWÊN yn costio dim ond fe all roi llawer. Mae'n cyfoethogi y sawl a'i derbynia heb dlodi y sawl a'i rhydd. Ni chymer ond eiliad ond gall y cof amdani bara am byth. Does neb yn rhy gyfoethog i wneud hebddi a does neb mor dlawd fel nad yw'n ymgyfoethogi o'i chael. Mae gwên yn creu hapusrwydd yn y cartref, yn meithrin ewyllys da mewn busnes, daw ag ynni i'r blinedig, llawenydd i'r gwangalon a heulwen i fywyd y trist. Ni ellir ei phrynu, ei benthyg na'i lladrata gan nad yw o unrhyw werth heb iddi gael ei rhoi. Mae rhai pobl yn methu rhoi gwên i chi. Rhowch un o'ch rhai chi iddyn nhw, nid oes ar neb fwy o angen gwên na'r sawl nad oes ganddo un i'w rhoi.

> Da am dda sy'n dra rhesymol,
>   Drwg am ddrwg sy'n anghristnogol,
> Drwg am dda sy'n felltigedig,
>   Da am ddrwg sy'n fendigedig.
>
> (Hen bennill)

WYDDOCH CHI ddim pwy sy'n byw drws nesaf i chi! Wel, wyddwn i ddim gan mai wedi prin gyrraedd pump oed oeddwn pan oedd David Lloyd yn byw y drws nesaf i ysgol Trelogan ac Emlyn Williams yn byw i lawr yr allt yng Nglanrafon – ac o'r fan honno fe welodd Emlyn, yn ôl ei araith eisteddfodol, y camelod dychmygol rheini yn tramwy diffeithwch Cilgwri, y tir dieithr ar lannau Seisnig afon Dyfrdwy. Erbyn gweld, yr oedd mwy i Drelogan, Sir Fflint na hynny hefyd. Yn y Sarn Bach ar Groeslon y Sarn y magwyd teulu mawr ac yr oedd un ohonynt o leiaf i wneud ei farc yng nghyrrau pellaf y byd. Fe aeth George Ellis, Sarn Bach, i Awstralia i weithio i gwmni Hornibrooks, y cwmni gododd Dŷ Opera anghymharol Sydney. Fel arolygwr y gwaith yr oedd gan George ran flaenllaw yn y gwaith o adeiladu un o adeiladau enwocaf y byd. Os troediodd David Lloyd ac Emlyn Williams lwyfannau godidocaf y gwledydd fe wnaeth George Ellis ei ran yn y gwaith o'u codi.

FE GEFAIS YMHOLIAD am Dyddyn Iolyn, o bosibl y tŷ annedd hynaf yn Benllech, gyda chromlech y "ben llech" ar ei drothwy. Yn Nhyddyn Iolyn y trigai Humphrey Roberts, gŵr a gydoesai â Robin Ddu Eryri, oedd yn swyddog y doll yn y Traeth Coch. Ac yr oedd y Traeth Coch yn lle pwysig yr adeg honno gyda llongau'n mynd a dod ar hyd yr arfordir. Mae peth o waith Humphrey Roberts wedi goroesi ac fe ddywedir mai ef piau'r pennill i Fynydd yr Arwydd, neu Fynydd Bodafon fel y'i gelwir erbyn heddiw. Fe ddywedir hefyd fod yr arfer o gynnau coelcerth yn mynd yn ôl, nid yn unig i ryfel Napoleon ond i'r anghydfod a fu rhwng Elisabeth y Cyntaf a brenin Sbaen. Ac fel hyn yr oedd

Humphrey Roberts, Tyddyn Iolyn yn ei gweld hi yn 1805:

> Ym Mona ar ben mynydd
> Y taniwyd tŵr eithin yn arwydd,
> Aiff gair ar led i Gaer Ludd
> Os tania pawb eu tanwydd.

∽

I BLE'R AETH y diniweidrwydd fu gynt? Beth a ddywedwn er cof am y pryferthwch a'r hyfrydwch a ddiflannodd, yn enwedig mewn hysbysebion teledu? Sut feddyliau anghyffredin, pa ddychymyg afiach sy"n cynhyrchu'r fath sothach negyddol ac aflednais? A thu cefn i'r cyfan mae yna elfen o dwyll, o ragrith, o anfoesoldeb ac o oruchafiaeth yr hyn nad yw'n gwneud dim oll i ddyrchafu cymdeithas. Mae swydd rhywun yn sâl festiffol!

∽

YN FY LLENCYNDOD yr oedd y Wig yn llecyn pwysig iawn. Mae'r Wig rhwng traeth Benllech a'r Huslan (lle mae moryn go dawel). Yno yr aem i bysgota a chofiaf ollwng llond hances boced o fecryll i'r gro a'r graean ar fy ffordd adref yn nhrymedd nos a gorfodi fy hun i godi pob un yng ngolau'r lleuad. Y Wig i mi, ac i lawer y pryd hynny, oedd cilfach o draethell greigiog wedi ei hamgylchynu â chlogwyni rhedynog uchel. Ymhen amser sylwais nad oedd y darlun hwnnw yn cydweddu â'r wig oedd mewn lle fel Melin-y-wig, sydd ymhellach o'r môr.

Arhosodd yr amheuaeth yn ddigyffro yn fy meddwl nes darllen erthygl ddifyr Hywel Wyn Owen yn *Y Casglwr* sydd yn dweud mai ystyr cyntaf *gwig* yw pentref a'r ail ystyr yw coedlan. Mae gennyf frith gof o weld adfeilion ger creigiau'r Wig ac i bobl ddweud fod yna bobl wedi bod yn byw yno unwaith. Ond efallai mai adfeilion bythynnod yn ymwneud â'r chwarel oedd y rheini. Yn ôl un pentrefwr, Chwarel Edliw oedd ei henw ac fe dybiaf fod yna stori dda y tu ôl i'r enw hwnnw hefyd.

 ✑

YN Y DYDDIAU cynnar byddem yn trafaelio o Fôn i Faesteg dros nos. Felly fe fyddai'r bechgyn yn cysgu'n braf yng nghefn y car cyn cyrraedd y Felinheli a chaem ninnau lonydd ar wahân i gael ein stopio unwaith yng nghyffiniau Pontardawe tua thri o'r gloch y bore gan heddwas yn fflachio ei olau i gefn y car. Fel arfer câi'r plant y wefr a'r syndod o ddeffro yn nhŷ eu mam-gu yn y bore.

Fel y tyfai'r plant caem fwy o ryddid i grwydro oddi ar y llwybr arferol a dal ar y cyfle i ddarganfod ambell lecyn a golygfa newydd. O dro i dro byddem yn aros ger y gofeb a godwyd i'r ddamwain a fu yn 1835 ddwy filltir i'r dwyrain o Lanymddyfri. Yno, yn ei ddiod, y gyrrodd Edward Jenkins ei goets fawr lorp a thrwmbal 121 troedfedd i lawr y dibyn i afon Brân. Dim ond coeden onnen a arbedodd y teithwyr rhag angau trist.

Un o'r teithwyr oedd y Cyrnol Gwynn o Gastell-nedd ac fe gymerodd hwnnw'r gyfraith i'w ddwylo, neu ei droed ei hun, a gweinyddu cyfraith a threfn hyd eithaf ei nerth a'i allu trwy gicio hynny o din Edward Jenkins oedd o fewn cyrraedd ei gynddaredd.

 ✑

Yɴ Rʜɪꜰʏɴ ʏ Gᴀᴇᴀꜰ o'r cylchgrawn gafaelgar, *Y Casglwr*, roedd Bruce Griffiths yn rhannu mwy o'i ddarganfyddiadau llenyddol difyr. Y tro hwn mae'n mynd at wreiddiau'r pennill Saesneg adnabyddus:

> Mary had a little lamb
> It's fleece as white as snow
> And everywhere that Mary went
> The lamb was sure to go.

Mae'n debyg na chaech chi ddim pennill mwy Seisnig na hwn'na petaech yn chwilio pob fferm a mart o Gernyw i Gaerlŷr. Ond ara deg rŵan, mae Cymru yn dueddol o roi ei phig i mewn llawer lle annisgwyl a tydi hi ddim yn fyr o fod â'i bys ym mhotas y Fari yma chwaith.

Yn ôl Bruce, roedd gan Mary Thomas, Tŷ Isa, Llangollen oen llywaeth oedd dipyn yn anodd ei drin a bu rhaid ei hel adre o'r ysgol fwy nag unwaith. Priododd Mary â Thomas Hughes yn 1861 a chael deg o blant. Yn 1931 bu farw Mary yn Worthing ym mhellteroedd Lloegr yn 89 oed ond fe'i coffeir ar fedd ei thad John Thomas ym Mron Bache, Llangollen gyda'r geiriau yma: "Heroine of the nursery rhyme Mary had a little lamb." Pob diolch i Bruce am ei ymchwiliad diddorol.

Fꜰᴇɪᴛʜɪᴀᴜ Dɪꜰꜰᴀɪᴛʜ:
— Mae gan eliffant ddeugain cyhyr, a dim ond un asgwrn, yn ei drwnc.
— Brics yw un o'r defnyddiau adeiladu hynaf a wnaed gan ddyn ac fe'u defnyddiwyd yn yr Aifft saith mil o flynyddoedd yn ôl.

❧

MAE'N GYSUR deall bod rhywun yn credu bod y Gymraeg yn fyw ac yn iach ar Ynys Môn. Fe ddaeth llythyr i law o Ystradgynlais, wedi ei gyfeirio'n gywir i Stangau, Maes Llydan, Benllech, Ynys Môn. Fe gymerodd wythnos ar ei daith ac efallai iddo fynd ar goll yn rhywle gan i rywun lythrennu gorchymyn clir ar ei draws, "Try Welsh Wales." O hyn fe goleddaf y syniad ein bod yn perthyn i gymdeithas elitaidd o bobl sy'n unigryw trwy'r byd i gyd. Ac y mae'n debyg fod hynny'n gymaint o anogaeth â dim i ni ddal ati.

❧

MAE YNA 365 diwrnod mewn blwyddyn ac y mae un peth ynglŷn â hynny sy'n peri syndod a chryn ryfeddod i mi. Mae gennym rosyn mynydd yn yr ardd o flaen y tŷ a rhosyn mynydd yng nghefn y tŷ, ac yn wir i chi, ar yr un diwrnod yn union, bron i'r awr, mae'r ddau blanhigyn wedi blaguro, heb bwyllgor nac ymgynghoriad na hyd yn oed drefnu i gyfarfod wrth dalcen y tŷ. Mae hynny, ynglŷn â pheth hylltod o ddigwyddiadau eraill, yn profi i mi, beth bynnag, nad hap a damwain yw'r greadigaeth hon a'n bod i gyd yn lwcus festiffol i gael bod yn rhan o'r fath drefn anhygoel.

❧

PAN OEDDWN yn ysgrifennydd Eisteddfod Bro Goronwy yn 1969 fe gofiaf gwmwl du bygythiol, dim mwy na chledr llaw, yn hofran uwch maes cyhoeddi'r eisteddfod honno oedd i'w chynnal yn 1969 a Llew Llwydiarth, ei osgordd a'r delynores yn rhuthro i'r ysgol – o'r haul – a finnau'n teimlo'n fychan bach, bach, bach am beidio mentro ar gwman gwlyb. Cofiaf hefyd Gyhoeddi Eisteddfod Cemaes yn 1969 gyda'r diweddar annwyl Emlyn John yn carlamu'n ôl ac ymlaen dros y bont, a'i gôt law yn lledaenu o'i ôl fel mantell Batman, i geisio lleihau'r pellter rhwng y band a'r cloffion, nes, yn y diwedd, i arweinydd y band gyffesu'n floesg, "My dear sir, if I go any slower I shall be going backwards."

✐

FE FU AMSER pan gyfyngai Cymru ei hun i gynhyrchu ffermwyr, nyrsys, athrawon, morynion, pregethwyr ac, yn ôl rhai, ambell botsiar crefftus. Ond daeth tro ar fyd gyda Chymru yn dal ei thir yn hyderus ymysg gwyddonwyr, actorion, cantorion, meddygon, a pheirianwyr y byd – Jones Parry o Fangor yw prif dechnegydd a chynllunydd cwmni Ford dros y byd i gyd. Cofiwch fel y bu i Gymru ei lle yn y byd mathemategol cyn hyn gyda Robert Recorde yn dyfeisio'r arwydd cyfartaledd (=) a William Jones o Faenaddwyn yn dyfeisio'r arwydd pi mewn trigonometri.

Erbyn hyn fe welir enwau o Gymru ar restrau Gwobr Nobel gyda mwy nag un Cymro yn teithio i Sweden i dderbyn y wobr honno gan y Brenin Carl Gustav. Anrhydeddwyd yr Athro Clive Granger, yr ystadegydd, am ei waith mewn economeg yn 2003. Yn 1973 enillodd yr Athro Brian Josephson o Gaerdydd am ei waith mewn ffiseg ac yn 1950 derbyniodd yr hanesydd Bertrand Russell o Drelech yng Ngwent y wobr lenyddiaeth am ei ddelfrydau dyngarol. Ac fe fu amser pan oedd Saunders Lewis yn haeddu bod yn agos am ei waith dros lenyddiaeth a thros ei iaith a'i wlad.

Yn ddiweddar, dyfarnwyd y wobr i Syr John Houghton o'r Rhyl am ei ymchwil i hinsawdd ein byd ac i Syr Martin

Evans o Gaerdydd am ei waith gyda genynnau anifeiliaid. Nid yr anrhydedd yw'r unig beth ynglŷn â derbyn y fedal aur hardd, fe geir diploma hefyd a £800,000. Cyflwynwyd y wobr am y tro cyntaf yn 1901 ac fe'u rhoddir yn flynyddol ar y degfed o Ragfyr i gofio dyddiad marw'r noddwr, y diwydiannwr Alfred Nobel (1833-96), dyfeisydd a chynhyrchydd deinameit a ffrwydron eraill.

MAE YMA YMGAIS i glirio papurau o dro i dro. Yr anhawster yw bod dyn yn dueddol i eistedd i lawr ar y gadair agosaf a phori ymysg yr ysbail. Fe âi un darn o bapur bregus â ni'n ôl bum cenhedlaeth i dyddyn yn Sir Gaerfyrddin o'r enw Pen Rhiw a thyddynnwr a phregethwr o'r enw Owen Lewis.

Un diwrnod, fe ddaeth ci defaid melyn o'r enw Lion i Ben Rhiw ac aros am rai dyddiau. Un bore fe aeth Owen Lewis a rhai o'i ferched i fyny'r mynydd gan fynd â Lion a'i gŵn defaid ei hun gydag ef, a gadael un ferch, Magdalen, adref ar ei phen ei hun. Wedi iddynt gyrraedd llecyn o'r enw Pentregronw fe drodd Lion yn ei ôl gan adael y cŵn eraill i fynd yn eu blaenau. Yn y cyfamser yr oedd dyn wedi dod i Ben Rhiw ac wedi gwthio'i ffordd i'r tŷ, gafael mewn twca'n fygythiol a thorri sgleisen fawr o'r cig moch a grogai o'r nenfwd. Gwaeddodd Magdalen, "Lion, Lion," a daeth y ci i'r golwg o rywle gan ysgyrnygu'n filain ac ymosod ar y dihiryn, oedd yn falch iawn o gael ffoi yn groeniach. Trannoeth, fe ddiflannodd Lion ac nis gwelwyd mwy.

MAE YNA AMBELL stori am eliffant sydd bron cymaint â'r anifail ei hun. Yn 1954 yr oedd gyr o eliffantod wedi difa cnwd o siwgwr yn India. Rhoddwyd un gwrych ar dân i geisio eu hatal ond sugnodd yr eliffantod ddŵr o'r nant gerllaw i ddiffodd y tân ac ailafael yn eu gwaith o ddifrodi'r cnwd.

Yn 1974 aeth 150 o eliffantod i mewn i friws diodydd yng Ngorllewin Bengal ac yfed galwyni o'r cynnyrch. Lladd-asant bump o bobl, anafu deuddeg a chwalu saith adeilad sylweddol, ugain o gytiau a difetha aceri lawer o ŷd.

Fe saethodd potsiar un eliffant yng Ngogledd Sri Lanka. Wrth iddo fynd ati i lifio un o ysgithrddannedd yr eliffant fe'i hyrddiwyd i'r llawr gan eliffant arall ac fe'i sathrwyd i farwolaeth gan weddill y gyr.

MEWN WARD mamolaeth yr oedd poster yn dweud, "Cofiwch mai'r pum munud cyntaf ym mywyd unrhyw un yw'r mwyaf enbyd." Ac fe ychwanegodd rhywun, "Tydi'r pum munud dwetha ddim yn rhyw saff iawn chwaith."

MAE YNA AMBELL

PAN FEDDYLIAF am gymeriadau pur fe ddaw tri enw i'r meddwl, sef Eifion Griffiths o'r Benllech, Lewis R. Jones o Rostrehwfa a Jennie Eirian o Ddinbych. Eifion am ei safiad tawel a graslon dros ei egwyddorion bob amser. Yr oedd yn nodedig am ei bryder a'i ofal urddasol dros y pethau gorau yn ein cymdeithas. Lewis am ei ymroddiad dros yr hyn oedd yn iawn, o'i ddyddiau ysgol a thrwy ei gyfnod yn y coleg pan oedd ef, fel is-gadeirydd y Mudiad Cristnogol, yn fodlon sefyll i geryddu'r myfyrwyr i gyd am ryw wamalrwydd anllad difeddwl (fuasai'n ddiniwed heddiw). Y trydydd enw yw Jennie Eirian, golygydd *Y Faner*, am ei safiad dros yr hyn oedd yn iawn yn ein cymdeithas a'i llafur diflino drostynt. Cofiaf i mi ysgrifennu nodyn ar ryw fater digon disylw, mae'n debyg, o ddiddordeb i neb ond i mi fy hun. Rhyfeddais pan gefais ganddi lythyr hir, manwl a chyfeillgar a gafodd ddylanwad mawr arnaf yn y dyddiau hynny. Ergyd i minnau oedd clywed am ei marw annhymig. Fel hyn y cofiodd Dafydd Owen amdani:

> Wele dalp o'r dwyfol dân – yn cynnau
> Er mwyn cenedl gyfan
> Ac ysu'n hoyw, fflam loyw lân
> Ein gwyll nes "llosgi allan".

A WELAIS ac
a GLYWAIS (i)

— Mae yna fwy o dwrw nag o daro ynddo fo.

— Mae mêl yn dal mwy o bryfed na finegr.

— Mae hanner y gwir yn gelwydd noeth.

— Y baich trymaf yw pwrs gwag.

Gair am Air

PAN FYDD hi'n oer mae hi weithiau'n oer iawn, yn oer drybeilig, yn oer festiffol, yn felltigedig o oer ac yn rhewi'n gorn gegorn (geg oer). Neu, ar adegau fe all fod yn wironeddol oer. Yr unig adeg pan fydd unrhyw ddadl ynglŷn â'r tymheredd yw pan fydd hi'n oer uffernol!

DIM OND dyn cyfoethog all fforddio edrych yn dlawd. Mae'n debyg nad oes llawer o wledydd yn y byd yn ymffrostio yn eu gwendidau ac yn eu cyhoeddi i'r byd mewn du a gwyn a llawer lliw arall. Fe wyddom i gyd am fethiant rhai yng Nghymru i ynganu ein henwau Cymraeg ond yn fy myw ni allaf weld bod angen amlygu'r ffaeleddau hynny. Yr wythnos diwethaf fe welais yr enwau Duffryn a Dyffryn ar yr un arwydd, yn ogystal â Llantwit Major a Talley am yr enwau hyfryd a hanesyddol Llanilltud Fawr a Thalyllychau. A dyna Lampeter am Lanbedr Pont Steffan, gyda Llandovery, Kidwelly, Carmarthen, Neath, Rhayader a hyd yn oed Cardiff am Caerdydd. Trueni na fuasent yn dilyn esiampl Caernarfon, Llanelli a Chonwy. Gwared ni rhag y dydd pan welir Amluck a Benluck ar ein harwyddion ffyrdd.

༄

DOES EISIAU bod yn ofalus? Fe drawodd gŵr, a chanddo ddiddordeb mawr mewn llyfrau, ar ŵr nad oedd ganddo rithyn o ddiddordeb mewn unrhyw lyfr. Roedd yr ail ŵr wedi bod yn gwagio'r groglofft ac wedi taflu hen Feibl a fu yn y teulu am genedlaethau.

Fe aeth yn sgwrs am y Beibl ac meddai'r perchennog, "Fe gafodd ei brintio gan ryw ddyn o'r enw Gotenburg neu rywbeth." "Gutenberg, Gutenberg," cywirodd gŵr y llyfrau. "Dyna un o'r llyfrau cyntaf a argraffwyd erioed. Mae yna un newydd ei werthu am hanner miliwn." "Paid â phoeni," meddai'r llall. "Fuasai fy nghopi i yn dda i ddim i neb, roedd rhyw greadur o'r enw Martin Luther wedi torri'i enw drosto fo i gyd."

༄

FE DDAW YMA gryn nifer o bapurau bro ar wahân i bapurau Môn, yn cynnwys *Y Bedol* o ardal Rhuthun twy garedigrwydd Gwyneth Haf Jones, *Y Glannau* o Lannau Clwyd trwy garedigrwydd Margaret Jones, un o hen drigolion Trelogan, *Y Lloffwr* o ardal Dinefwr trwy garedigrwydd Mary Williams, Talyllychau, *Yr Angor*, papur bro Lerpwl a Manceinion a *Lleu*, papur bro Dyffryn Nantlle. Ond yr un sy'n teithio bellaf yw'r *Hogwr*, papur Bro Ogwr – yn cynnwys Maesteg wrth gwrs. Bu'r *Hogwr* yn dathlu pen-blwydd ac fe roes i ni'r englyn hwn a weithiwyd gan y Parchedig Rhys Nicholas:

> Un ardderchog yw'r *Hogwr*, – hwn a fydd
> Wrth fodd pob darllenwr;
> A maes o law daw yn dŵr
> I'r Gymraeg ym Mro Ogwr.

Ni fu'r gaeaf bob amser yn greulon ond ar ddechrau
Mawrth weithiau cawn fflangelliad o wynt y dwyrain a
hwnnw yr un mor oer dan ei lysenwau fel "gwynt traed
y meirw" a "gwynt coch Amwythig". Fe gofiaf am eira
mawr 1947. Yr adeg honno fe gynhaliwyd pwyllgor mawr
yn y Morlys yn Llundain ac wedi dwys drafodaeth fe
benderfynasant y buasent, am ychydig ddyddiau, yn ceisio
gwneud heb wasanaeth morwrol D. Jones LFX 845744 o
Sir Fôn. Felly fe gefais fy hun yn ymlwybro trwy'r eira yn
Llanfair Mathafarn Eithaf a heddwas Benllech yn tystio "ar
ei beth mawr o"na allwn ddychwelyd i Falmouth ar y dyddiad
penodedig gan fod yr ynys dan lathenni o eira. Doedd Ynys
Môn ddim mor adnabyddus yr adeg honno ac fe fyddwn
innau yn cael diwrnod neu ddau yn ychwanegol beth
bynnag, dim ond i mi gysylltu Môn hefo ynysoedd yr Alban
a'r anawsterau a gaem fel dwy genedl i gael llong drosodd i'r
tir mawr o'r ynysoedd anghysbell! Doedd rhyw anwireddau
felly ddim yn anodd eu dweud wrth swyddogion a ofynnai
yn aml a oedd modd troi car ar ynys o'r enw Anglesey!

Fe gafodd rhannau o Loegr gnwd da o eira y tro hwnnw
ond dim byd tebyg i'r hyn a gawsant ym mis Mawrth 1891
pan ruodd y gwynt oerllyd dros y wlad am bedwar diwrnod,
gan lorio hanner miliwn o goed, chwipio toeau'r tai i ffwrdd
yn glir a dryllio dwsinau o longau ar hyd y glannau. Roedd
lluwchfeydd eira hyd at ugain troedfedd o ddyfnder yn y
gorllewin yn claddu tai, ffyrdd a rheilffyrdd. Collwyd dau
gant o fywydau a threngodd miloedd o anifeiliaid fferm.
Ymadawodd trên o Lundain ar y nawfed o Fawrth gan daro'r
lluwchfeydd yn Nyfnaint, dihysbyddwyd ei glo a chwythwyd
yr eira i'r cerbydau rhewllyd. Aeth dau ddiwrnod heibio cyn

i ffermwr weld y trên er nad oedd ei fferm ond 200 llath
oddi wrthi. Bu rhaid cael tri chant o bobl i dyrchio at y trên
a sicrhau ei bod yn cyrraedd Plymouth, wyth niwrnod yn
hwyr.

Pump oed oeddwn i yn ystod yr eira mawr sydd â'i hanes
yng ngherdd William Francis Hughes, cefnder Syr T. H.
Parry-Williams, "Wil Oerddwr". Arferai Syr Thomas fynd
ar ei wyliau i'r Oerddwr Uchaf, ar y ffordd o Borthmadog i
Feddgelert. Dyma'r pennill cyntaf:

> Bydd sôn am eira mawr fel hwn
> 'Mhen hanner canrif eto, mi wn,
> A llu yn adrodd fod y lluwch
> O awr i awr yn mynd yn uwch;
> A llawer bwthyn dros ei ben
> O dan luwchfeydd yng Ngwalia Wen;
> A'r flwyddyn *honno* gelwir hi -
> Un mil naw cant tri deg a thri.

SYNNAIS LAWER GWAITH at y cyfoeth enwau sydd yna am
adar, coed a blodau yn y Gymraeg. A dweud y gwir does dim
rhaid i neb byth ddweud *chaffinch*, *birch* na *foxglove*. Ac mi
fydd yn amser y bysedd cochion gyda hyn. Os nad yw hi yn
barod. *Digitalis* yw'r enw Lladin amdanynt ac fe ddywedir
eu bod yn dda at glwy'r galon. *Digitale* yw'r enw Lladin am
wniadur. Fe ddywedir hefyd mai'r hen enw Saesneg cywir
yw *folk's glove*, sef menyg y tylwyth teg. Mae'r dychymyg yn
gweld darlun o wraig Rhufeiniwr yn hel bysedd y cŵn ar dir
Bryn Eryr yn Llansadwrn am fod ei gŵr wedi cael poen yn
ei frest! Mae yna enw Saesneg digon diddorol hefyd, *bloody
man's fingers*!

Mae'r enwau Cymraeg am y bysedd cochion yn werth eu clywed, meddyliwch am y cyfoeth geiriol a barddonol sydd yna mewn enwau fel hyn:

Bysedd y cŵn, clatsh y cŵn, gwniadur Mair, llysiau'r cŵn, bysedd ellyllon, menyg y tylwyth teg, dail crach (crachod), cleci coch, menyg ellyllon, ffion y ffridd, menyg y llwynog, dail ffion-ffrwyth, llwyn y tewlaeth, bys yr ŵydd, crecs y cŵn a menyg Mair. Ac y mae yna fathau eraill hefyd fel bysedd cŵn mynydd, bysedd cŵn gwynion, bysedd cochion gwynion a bysedd cŵn melyn bach.

NID FY MOD yn mynd i Lundain yn aml ond gwn fod rhaid bod yn ofalus wrth groesi'r stryd yno, yn oes y gwibio ceir a'r traffig diamynedd. Nid oedd yn hollol ddiogel yn 1760 chwaith yn ôl llythyr a anfonodd Richard, un o feibion Pentre-eiriannell, at ei dad, Morys Prichard Morys.

Mae'n rhaid bod y tad yn ŵr go agos i'w le hefyd gan iddo fagu pedwar o feibion mor atebol: Lewis y llengarwr, Richard yr arloeswr, William y llysieuwr a John y morwr. Wedi geni Lewis aeth Morys Prichard o Fodafon y Glyn i'r Fferam, gan symud i Bentre-eiriannell yn 1707 a dal ymlaen gyda'i waith fel ffermwr a chylchwr. Pan fu farw ei wraig, Margiad Morys, aeth ei wyres, Margaret Owen, a'i gŵr i fyw ato. Gadawodd Bentre-eiriannell yn 1761 i fyw mewn llety yn Llannerch-y-medd, lle bu farw 25 Tachwedd 1763.

A hwnnw oedd y tad a gafodd lythyr gan ei ail fab, Richard, sylfaenydd y Cymmrodorion yn Llundain. Mae'n llythyr diddorol a dadlennol, llawn newyddion ond ni chaniatâ gofod i ni ei gynnwys yma. Mae ei baragraff cyntaf yn pwysleisio mor ofalus yr oedd rhaid bod wrth groesi'r stryd, hyd yn oed yr adeg honno:

Anrhydeddus Dad, Gobeithio eich bod yn iach ac wrth fodd eich calon, ac mi ddymunwn allu dweud fy mod innau'n iach ond Duw a'm helpo, y mae'r hen beswch blin bron â fy lladd ac mi gefais anffawd brwnt yn ddiweddar, o friwio gewyn yng nghroth fy nghoes wrth lamu oddi ar ffordd un o'r ceirt yma, yr hyn a'm cloffodd fel nas gallwn chwimiad o'r unlle dros bythefnos ac nid wyf eto'n holliach. Eich gostyngeiddiaf Fab.

&

MAE'N BRAF GWELD pobl Sir Fôn yn rhoi'r cywirdeb dyledus i'r enw Penrhosllugwy ac yn rhoi ei lawnder teilwng i'r enw godidog Llannerch-y-medd. Ond cyndyn iawn yw'r cyfryngau Saesneg, fel y *Daily Post*, i barchu dau o enwau mwyaf arwyddocaol, a soniarus, ein hynys. Rhyfedd fel y caiff Bangor, Gogledd Iwerddon, ei ynganu'n gywir ar y cyfryngau ond fe gaiff Bangor, Gwynedd ei lurgunio'n Bangyr yn rhy aml o lawer, hyd yn oed gan Gymry Cymraeg pan fyddont yn siarad Saesneg.

Yn fy nyddiau ysgol fe fyddai strydoedd Llangefni, ar ddydd Mercher, cyn llawned â'r Gorllewin Gwyllt o sŵn carnau buchod, o gyrn bustych ac o lygaid gwylltion yr heffrod ofnus. Ar adegau felly fe gawn innau glywed rhai o'r porthmyn answyddogol yn cymell ei gilydd i wastrodi ambell fustach go anystywallt trwy roi bangor ar ei gefn o, "Rho fangor iddo fo." Golygai hyn yrru panig y creadur gorffwyll ymhellach trwy ei gystwyo â ffon hir. A dyna'r union le y cafodd Bangor Fawr yn Arfon ei enw, o enw'r ffon hir oedd yn cloi pen y palis plethedig a amgylchynai'r eglwys.

&

Fuoch chi'n meddwl pam y rhoddir croes gyferbyn â rhywbeth sy'n anghywir, a pham y byddwn yn rhoi tic i ddynodi cywirdeb? Wn i ddim pam y defnyddir y groes ond fe awgrymir fod y tic yn cynrychioli'r llythyren *V*, sy'n dalfyriad o'r gair Lladin *verus*, yn golygu cywir.

✍

Yr oedd P. K. Wrigley, perchennog cwmni'r *chewing gum* enwog, mewn awyren ar ei ffordd i Chicago. Gofynnodd y gŵr oedd yn eistedd wrth ei ochr iddo paham yr oedd yn hysbysebu cymaint ar ei *chewing gum* ac yntau'n cynhyrchu'r *chewing gum* gorau yn y byd. "Wel," meddai Wrigley, "am yr un rheswm ag y mae'r peilot yma yn cadw'r injian i redeg er ein bod ni 30,000 troedfedd yn yr awyr."

✍

Mae'n rhyfedd faint o eiriau sy'n gyffredin i holl ieith-oedd Ewrop, nid rhyfedd chwaith efallai, gan fod bron pob iaith yn y gorllewin yn hanu o'r cyff Indo-Ewropeaidd. Er enghraifft, ar y teledu y noson o'r blaen fe gyfeiriwyd at afon Nedder, ger Salisbury, fel afon a gafodd ei henwi am ei bod yn ymdroelli fel neidr. Y mae lle i gredu mai'r un tarddiad sydd i Nedd, ac i Nidd yn Swydd Efrog hefyd. Ac fe ddaw'r gair Saesneg *adder* hefyd o'r un gwreiddyn, sef neidr. Ond mae gennym ni air arall am yr un creadur, sef gwiber, ac fe ddaw'r gair hwnnw o'r Lladin *vipera*. Gair arall sy'n mynd yn ôl fil o flynyddoedd yw stang, ond stori arall yw honno!

✍

Mae'r iaith Gymraeg wedi'i diodda hi ers canrifoedd. Doedd hi'n plesio dim ar Harri'r Wythfed, bu'r Llyfrau Gleision yn drwm arni ac fe fuasai'r *Welsh Not* wedi lladd ieithoedd llai gwydyn. Yna, bu cyfnodau pan oedd y Cymry eu hunain yn troi cefn arni, yr amser pan gredai'r uchelwyr, a'r rhai oedd yn eu hefelychu, ei bod hi'n fwy ffasiynol siarad Saesneg. Yna, pan oeddwn i'n laslanc fe ddaeth yr arfer o roi llythyren neu ddwy ar ôl geiriau Saesneg, i roi i ni eiriau fel jympio, realisio a leicio a'u tebyg. Heddiw fe ddaeth ffasiwn â ffordd newydd eto o lastwreiddio'r iaith. Dyma rai o'r hoelion arch a glywyd ar y radio ac mewn sgwrs y dyddiau diwethaf yma: "Dwi *still* ddim wedi clywed gair." "Fuaswn i ddim yn *even* dweud helô wrtho fo." "Y fi oedd hwnnw, *actually*." Fe es i yno, *anyway*." "*So* felly, dyna fo." "Fe wnaeth hi *really* gwylltio fi." "Dwi ddim wedi ei gweld hi *since*." "Dwi'n teimlo'n well o lawer, *up to now*." A *that's it*, ond yng ngeiriau Dafydd Iwan, "Dan ni yma o hyd," *just about*. Fe ddywedodd George Orwell fod darostyngiad gwareiddiad cenedl yn dechrau hefo diraddiad ei hiaith.

Mae hyn oll yn gwneud i mi gofio am Jabes Williams, y Mynydd, a'i ffraethineb parod. Yr oedd Jabes Williams yn gwerthu penwaig ac yn gweiddi "Fresh Fish" nerth ei ben. Gofynnodd rhywun iddo a allai werthu pysgod yn Gymraeg. "Medra siŵr," meddai Jabes ac i ffwrdd ag ef gan weiddi, "Ffish ffresh, ffish ffresh!"

⚬

Y mae yna hanes tu ôl i bob gair, meddan nhw. Wn i ddim pa mor gyffredin yw'r gair *cowtowio* erbyn hyn. Yr oeddwn yn arfer meddwl fod a wnelo â'r gair *cow* a ddefnyddid pan fyddech yn cael cow ar rywun, sef ei dawelu, gwneud mistar

arno a thorri ei galon. Gyda llaw, tra bûm yn ddisgybl yn
Ysgol Llangefni ni ddeallais erioed pam yr oedd un o'r hogia
mwyaf poblogaidd yn dwyn y llysenw Cow.

I'm cof i, defnyddid *cowtowio* am ymgrymu i rywun,
ymgreinio, rhoi i mewn, ildio a bod yn israddol iddo fo neu
hi. A dyna ydi o hefyd ond ei fod, fel y gair *bungalow*, yn
dod o'r dwyrain pell (India). Ac o Tsieina y daw *cowtowio*,
o'r gair *kowtow* mae'n siŵr gen i, sy'n enw ar yr arferiad yn
y wlad honno o gyffwrdd y llawr â'r talcen mewn gwaseidd-
dra pur. Ond dyna fo, does dim rhaid i rywun gowtowio i
neb arall heddiw, am a wn i!

GOFYNNODD Siân Lloyd Williams i Jabas Williams y
Mynydd, "Fyddwch chi'n rhegi weithiau, Jabas Williams?"
Atebodd yntau, "Wel na fyddaf, 'ogan, dim ond rhyw dipyn
bach at iws."A synnwn i ddim nad oedd rhegi yr adeg honno
yn iachach peth nag ydi o rŵan ac yn fwy Cymreigaidd a
gwreiddiol ei gyflwyniad.

Mae gan y diweddar Athro Gwyn Thomas erthygl
ddiddorol iawn mewn rhifyn o *Barddas* yn rhoi sylw i'r
geiriau brathog sydd ar gael pan fydd pethau yn mynd i'r
pen a bod angen difetha cymeriad rhywun o bellter teg yn
erbyn y gwynt.

Wrth uno yn y condemniad geiriol o ambell ffwlcyn neu
ffwlcan mae'r Athro yn tynnu ein sylw at yr termau *jolpyn*,
hulpan, *hurtan* a *het*, neu *rêl het*. Ond, i mi, mae'n anodd
cystadlu ag un disgrifiad sydd i'w gael yn y De, sef ceit, ceit
bapur felly, "rêl ceit" am wraig ddi-ddal sydd â'i meddwl ym
mhobman, yn hofran yn ddireol uwchben pob testun heb
gyfrannu dim ato na rhoi ei thraed ar y ddaear yn unman.

MAE RHYWUN yn dysgu rhywbeth bob dydd, hyd yn oed, ac yn aml, gan blant. A pheth braf yw clywed gair dieithr a graenus gan blentyn. Wrth ymlwybro trwy bron ddeugant o gerddi yn un o gystadlaethau'r Urdd dyma ddod ar draws y gair *morlin*, wedi ei ddefnyddio'n hollol naturiol ac addas yn un o'r cerddi. A morlin yw llinell neu amlinell yr arfordir. Siawns na chofiaf y gair hwnnw o hyn allan.

DEWI SANT

Fel Cymry, cofiwn Dewi,
Mab enwog Sant a Non
A gwnawn "y pethau bychain"
Ar hyd y flwyddyn gron.

CANMOLWN yn awr ein gwŷr enwog. Ar Nos Calan dyma daro fy llaw ar lyfr digon bregus yr olwg, *1,000 o Englynion – Pigion Englynion Fy Ngwlad*, detholiad o weithau awduron hen a diweddar wedi eu dewis gan Eifionydd. Pwy oedd Eifionydd? Wel, fe wyddwn un peth amdano gan fod gennyf lythyr o'i eiddo, ac yr oedd ganddo ysgrifen fel traed brain, brain gorffwyll hefyd oedd newydd olchi eu traed, a rheini'n mynd i bob man!

Ond i ddifrifoli, yr oedd Eifionydd (John Thomas 1848-1922) yn dipyn o ddyn, yn ddigon o ddyn i ddechrau *Y Genhinen*, un o gylchgronau gorau Cymru. Bu'n olygydd o 1881 i 1922. Bu hefyd yn olygydd *Y Genedl Gymreig* a'r *Werin* a bu'n gofiadur yr Orsedd am 30 mlynedd. Fe olygodd ddwy gyfrol o'r enw *Pigion Englynion Fy Ngwlad*, ac felly bydd rhaid i mi chwilio ymhellach am y llall.

᷼

FE DDAW AMBELL gwestiwn diddorol ac ar ddydd Mawrth Ynyd yr oeddwn "yn gofyn amdani!" I ddechrau pethau, o ble daw'r gair *ynyd*? Wel, fe ddaw o iaith hogia Bryn Eryr a Segontium. Gair y Rhufeiniaid am ddechreuad oedd *initium* (ac fe ellir meddwl am y geiriau Saesneg *initial* ac *initiate*). Mae geiriau'r ieithodd Celtaidd eraill yn ddiddorol hefyd: *enez* (Cernyweg), *enet* (Llydaweg), *init* (Gwyddeleg). Y Grawys yw'r deugain niwrnod rhwng dydd Mawrth Ynyd a noswyl y Pasg, cyfnod o ympryd ac ymwadiad. Mae dydd Mawrth Ynyd yn rhan o'r tridiau cyn y Grawys pryd y byddid yn cyffesu. Ceid gloddesta a rhialtwch hefyd ac y mae'n debyg fod y grempog yn cynrychioli hynny hyd y dydd heddiw, "Dydd Mawrth Ynyd, crempog bob munud."

᷼

MAE PAWB yn hel meddyliau weithiau. Yn yr hen oes fe gredai llongwyr fod adar yn gallu gweld ymhell ac fe wyddent yn iawn pan fyddai tir yn agos. Y ffefryn i'w chludo ar long oedd y golomen a dyna'r aderyn a ddefnyddiwyd gan Noa.

Un arall o'r ffefrynnau oedd y gigfran a dyna'r aderyn a gludid gan y Northmyn yn eu llongau duon. Fe wyddom i'r Northmyn lanio yn y Traeth Coch ac efallai bod arwydd-ocâd go hynafol i'r enwau, Porth y Llong Ddu, Bwthyn y Gigfran yn Llanddona a Phwll y Frân yn agos iawn i'r fan lle mae olion y Northmyn i'w gweld heddiw. Tybed? Dim ond meddwl!

☙

YR OEDD Y DIWEDDAR Ganon R. Glyndwr Williams yn ŵr go arbennig. Tybed a welsoch y rhaglen am bererindod o Glynnog i Aberdaron? Cyn cychwyn ar y daith fe ddyfynnwyd o weddi a draddodwyd gan R. Glyndwr Williams. Rhag ofn na chawsoch gyfle i'w "tharo i lawr" dyma ddetholiad:

> Daw'r haul i'n sirioli,
> Daw'r awel i'n hysbrydoli,
> Fe ddaw'r gawod i'n hadfywio,
> Anturiwn y daith,
> Awn ymaith mewn brwdfrydedd.

☙

Y CWESTIWN DIWEDDARAF i ddod yma yw un ynglŷn â'r gair *hefru* a *hefr*. Bûm yn d'rofun chwilio yn y geiriadur am ystyr y gair cyn hyn gan i mi fopio braidd gyda'r ddau ystyr y tebygwn oedd iddo. "Paid â hefru, paid â rwdlian, paid â malu awyr" oedd un ystyr. Yr ail ystyr oedd, "Dos i wneud rhywbeth yn lle hefru ar y soffa 'na drwy'r dydd."

Erbyn gweld, yn ôl Geiriadur y Brifysgol, mae'r ddau ystyr yn iawn. Hefraf, hefriaf, hefran a hefrio yn golygu baldorddi, cabalatsio neu wamalu. Fe all hefyd olygu segura, gorweddian neu ddiogi. Ond does yna ddim sôn am rywun yn mynd i gael hefr neu "gael pum munud bach". Dim sôn am neb yn hefru ac yn hel gwynt i'w fol a siarad yn wirion. Ond yn ei ail gyfrol o *Cydymaith Byd Amaeth* fe ddaw'r Parchedig

Huw Jones i'r adwy ac meddai, "Hefr yw egwyl neu ysbaid o orffwys, lled orweddian yn ddioglyd wedi ysbaid o waith. Ar lafar ym Môn." Ac yn fwy na thebyg, un o eiriau Môn yw hefru hefyd. Mae'n debyg mai hefrian y byddwn ni ar ambell soffa ym Môn ac nid hefran. Y newydd drwg ydi mai benthyciad o'r Saesneg yw hefru, hefr a hefrian. Fe ddaw o'r gair Saesneg *haver* yn golygu siarad gwag neu ddiogi ac y mae'n debyg bod digon o le iddo yng Nghymru hefyd!

Os CLYWCH CHI rywbeth unwaith fe'i clywch chi o ddwywaith a theirgwaith. Fe ddigwyddodd hynny i mi gyda'r dywediad Saesneg "mad as a hatter" – nid bod y dywediad yn cael ei anelu ataf fi y tro hwnnw wrth ryw drugaredd. Ond y tro diweddaraf yma yr oedd esboniad ynghlwm wrth y geiriau.

Fe ymddengys y byddai rhaid defnyddio arian byw i drin y crwyn tyrchod daear a ddefnyddid i wneud yr hetiau uchel a wisgid gan ddynion flynyddoedd yn ôl. Yr oedd yr arian byw yn cael effaith niweidiol ar ymennydd y gwneuthurwyr hetiau gyda'r canlyniad y byddent yn colli eu pwyll ac, yn y pen draw, yn mynd yn hollol wallgof.

A BETH FUASAI papur bro dwyrain Môn a godre'r Arwydd heb eto grybwyll Goronwy Owen a'i gynganeddion nerthol? Cymerwch bum munud i flasu a throi ei gynghanedd dros eich gwefusau, yn enwedig llinellau fel "Ei phlwm a'i dur yn fflam dân". Fe ddyfynnwn linellau o'i "Gywydd yn Ateb y Bardd Coch o Fôn" i werthfawrogi bod ei ddisgynyddion yn cadw iaith Goronwy o Ros-fawr yn eu calonnau. Gwnawn ninnau yr un modd:

> Poed it hedd pan orweddwyf
> Ym mron llawr estron, lle'r wyf,
> Gwae fi na chawn enwi nod,
> Ardd wen, i orwedd ynod!

Arferwn fynd i aros gyda fy modryb a'm hewyrth mewn lle o'r enw West Wickham yn ne Llundain. Heb fod ymhell yr oedd pentref arall o'r enw Penge. Os cofiaf yn iawn, yr oedd West Wickham and Penge yn ffurfio un ardal ar adeg etholiad.

Pan welaf y gair *pen* mewn lle yn Lloegr mae'n werth rhoi sylw, yn enwedig os yw yng nghanol lle mor annhebygol â Llundain. Unwaith, yn y papur newydd yr oedd sôn am ddamwain yn Penge. Mae'n debyg fod y pentref wedi cael yr enw pan oedd y Brythoniaid yn trigo mewn fferam neu annedd yn y cyffiniau. Yr oedd *pen* yn golygu prif neu pennaf, prif fel arfer. Yr hen enw Brythoneg am goed oedd *cêt*, gair a roes *coed* i ni yn Gymraeg. Tybed a sylweddolai fy ewythr fod Pencoed mor agos ato ac yntau mor bell o Gymru ac o'i fan geni yn Ninas Mawddwy?

Sylwais yn y *Western Mail* fod John Parc y Medws wedi marw. Nid oeddwn yn adnabod John, o ardal Porthtywyn, ond yr oedd yr enw Parc y Medws yn tynnu fy sylw, gan ei fod, mae'n siŵr gen i, yn dŷ tafarn ar un adeg: y *mead house* mae'n debyg. Gwnaeth hyn i mi feddwl am enwau cyffelyb, lle mae *house* wedi mynd yn ws, fel ag yn coetsiws am *coach house*, washws am *wash house*, cartws am *cart house*, storws am *storehouse*, getws am *gatehouse* a rhinws am *roundhouse*, lle carcherid drwgweithredwyr. Ac fe arferem ni dreulio amser yn y briws, ystafell a fu'n *brewhouse* ar un adeg mae'n debyg. Ar y ffordd o Ben Goetan i Lanbedr-goch y mae'r Betws, neu Fetws y Gwynt i roi iddo ei enw llawn yn ôl coel gwlad. Mae'r enw yn mynd yn ôl i'r oes Gatholig ym Môn pan arferid cyfrif y gleiniau, y *beads*, ar y llaswyr (y rosari), wrth adrodd y paderau, yn y *Bead House* neu'r Betws. Efallai mai o'r un cyfnod y daw Pwros, *poorhouse*. Enw arall yr ydym yn gyfarwydd ag o yw'r Storws ac ym Maesteg y mae fferm o'r enw Cwrt y Mwnws. Nid yn aml y ceir enw Cymraeg a Saesneg ochr yn ochr â'i gilydd ond fe ddywedir mai *Mwyn House* yw ystyr Mwnws. Haws gennyf feddwl am *mine house*. Ac yn ymyl Machynlleth mae'r Ceinws, safle'r Adnoddau Amgen; mae'n debyg mai'r beudy neu'r *Kine House* oedd hwnnw.

A WELAIS ac
a GLYWAIS (ii)

— Canu cyn brecwast, crio cyn nos.

— Fyddi di ddim gwell o fynd i gwt ieir i nôl gwlân.

— Tân heddiw yw lludw yfory.

— Tydi gweddi ddim yn newid meddwl Duw ond
mae'n newid meddwl dyn.

Sôn a Siarad

MA' NHW'N DEUD fod Gruffydd ap Ifan ap Dafydd wedi dwyn gwartheg yn 1521 i dalu'n ôl i'r rhai a ddwynodd ei anifeiliaid ef. Fe'i carcharwyd yn Amwythig, ei grogi a'i bedrannu. Talwyd pum ceiniog i weithiwr am hongian ei ben ar y bont i wynebu Cymru fel rhybudd i eraill.

Ma' nhw'n deud i Harri'r Seithfed godi ei fab Arthur i siarad Cymraeg.

Ma' nhw'n deud fod Oliver Cromwell yn ddisgynnydd i Morgan Williams o Lanisien ac fe ddywed eraill iddo gael ei eni ar stad Margam.

Ma' nhw'n deud i Wiliam Jones, mab y mathemategwr enwog, William Jones o bentref Maenaddwyn, Môn, droi allan yn groes i'w grasiad a dod yn ieithydd galluog a phrofi'r cysylltiad rhwng yr iaith Roeg, Lladin a Sansgrit. Byddai'n ysgrifennu yn y Berseg dan yr enw Youns Uksfardi (Jones o Rydychen). Wrth ei gyflwyno fe ddywedodd Tywysog Ffrainc fod William Jones yn medru siarad pob iaith ond ei iaith ei hun!

Ma' nhw'n deud, cyn i rai Cymry fynd i Batagonia, fod Vancouver, Awstralia, Seland Newydd a Phalesteina wed cael eu hystyried fel glanfeydd.

Ma' nhw'n deud i hen nain Harriet Beecher Stowe, awdures *Uncle Tom's Cabin*, gael ei geni yn Llanddewi Brefi.

MAE'N WYRTH fod y Gymraeg cystal ag y mae hi. Fe ddioddefodd ac fe ddeil i ddioddef o'r egwyddor mai rhywbeth i'w ddiddymu yw unrhyw beth nas deallir. Fe ddechreuodd yr egwyddor yn swyddogol yn 1536 pan grewyd y Ddeddf Uno gan yr anwybodus yng nghyfnod Harri'r Wythfed, ac fe ddaliwyd at yr egwyddor honno yn yr India, yn Awstralia, Affrica ac yng ngwlad yr Indiaid Cochion:

"Mae gan bobl y diriogaeth (Cymru) leferydd a ddefnyddir ganddynt bob dydd nad yw ddim tebyg i famiaith naturiol y deyrnas hon. Ni chaiff unrhyw un, sy'n defnyddio iaith neu barabl y Gymraeg, fwynhau unrhyw swydd yn nheyrnas Lloegr, yng Nghymru nac unrhyw un arall o diriogaethau'r brenin, ar y boen o fforffedu'r cyfryw swydd, heb iddynt lwyr fabwysiadu a defnyddio'r iaith Saesneg."

Fe roes hyn'na rwydd hynt i sawl ffwlcyn arfer ei ragfarnau. Un ohonynt oedd William Richards yn 1682. Fe aeth o i'r drafferth o ysgrifennu:

"Fe breblir eu clebar baldorddus ar hyd a lled y Daffoliaeth ar wahân i'r trefi marchnad sydd â'u trefolion ychydig yn uwch eu gallu ac yn dechrau ei chasáu. Os bydd y sêr o'n plaid y mae yna lygedyn o obaith y sudda'r iaith i bwll difancoll yn bur fuan ac yn debyg o gael ei Seisnigeiddio o bob rhan o Gymru."

Trist yw meddwl y bu bron i'r hen William gael ei ddymuniad.

Meddai un uchelwr ar ei daith trwy Gymru, "Mae'r iaith yn fyngus a gyddfol ac yn swnio'n fwy fel clegar gwyddau a thyrcwn nag iaith bodau meidrol." Parhaodd ffwlbri felly am rai blynyddoedd gyda sylwadau fel hyn, "Cymraeg yw

Saesneg heb y llafariaid" (mae dwy lafariad yn fwy yn y Gymraeg), a chaed llawer o ddatganiadau tebyg gan rai fel Jeremy Clarkson, A. A. Gill a Gwyn Thomas, y newydd-iadurwr, llawer ohonynt dan gamargraff dybryd. Meddai Janet Street-Porter yn yr *Independent*, "Pan ystyriwch chi y cedwir y Gymraeg yn fyw gan bwyllgorau yn llunio enwau newydd am ddyfeisiadau modern fel *motor car* a *television set*, mae'n anodd gwybod beth i'w wneud, chwerthin 'ta crio." Ychydig a wyddai hi mai gair Cymraeg yw *car* yn ei hanfod (Brythoneg *karros*) ac wedi goroesi mewn termau fel car llusg, car bara, car cig, car am ffrâm trol. Petawn i yn nhw mi fuaswn yn cadw cyn belled ag sydd modd oddi wrth yr iaith Gymraeg a'i llenyddiaeth gan ei bod, yn amlwg iawn, ymhell, bell tu draw iddynt.

~

YN ÔL Y CYFRIFIAD mae'r iaith Gymraeg ar erchwyn ei chwythiad olaf a phan ddaw'r ochenaid honno nid y ni fyddwn ni byth wedyn. Nid bod dim un ohonom yn groeniach yn ei thynged. Y ni adawodd i werthiant *Y Faner* a'r *Herald Cymraeg* edwino, y ni gaeodd aml i gapel ac ysgol Sul lle bu'r Gymraeg yn unben, a ni sy'n rhoi blaenoriaeth i'r Saesneg yn aml, heb fod math o angen. Os llecha unrhyw amheuaeth iddi fod yn werth ei chadw troer at Feibl William Morgan, *Gweledigaethau'r Bardd Cwsg, Y Flodeugerdd Gymraeg* neu *Caneuon Ffydd* ac fe ddeil ei phen yn uchel ymysg holl ieithoedd y byd.

Rydym yn dda am godi pwyllgor, am drefnu cynhadledd, sgwennu adroddiad, rhestru beiau a disgwyl gwyrthiau. A dyna ni wedyn, yn eistedd yn gyffyrddus a hunanfoddhaus. Yr hyn ddaw i feddwl dyn weithiau yw ein bod yn saethu hen gaseg pan fo'n dechrau nychu ac eto rydym yn gyndyn o ddifa iaith gloff i'w rhoi o'i gwewyr. Pa ffordd bynnag yr aiff pethau mae'n debyg fod y Gymraeg yn haeddu ei hurddas wedi pymtheg can mlynedd a mwy o wasanaeth clodwiw. Fe haedda'n hiaith ei chadw rhag y rhwd, a'i geiriau rhag y gwyfyn.

Felly, y peth lleiaf allwn ei wneud yw mynnu gwneud ein gorau drosti yn ei blynyddoedd olaf. Mae'r oll yng nghyrraedd pob un ohonom, rhag iddi farw o gywilydd. O air i air, o ddefnydd i ddefnydd ac o barch i barch fe ddeuai'r Gymraeg ati ei hun. A phwy a ŵyr, efallai y byddai hynny'n ddigon i roi'r diolch dyladwy, anrhydeddus, a theilwng iddi, ac efallai ei hachub. Ac fel y dywedodd Carolyn Hitt yn ei cholofn wych yn y *Western Mail*, "Petai ond i gau ceg y *Telegraph* a'r *Daily Mail*."

✒

Sylwais, mewn erthygl gan Rhys Mwyn yn yr *Herald*, fod yna lun o'r fan lle'r eisteddwn yn 1932, yn bedair oed. Eisteddwn ryw ddwylath oddi wrth y Maen Achwyfan ar dir fferm y Glol ym mhlwyf Chwitffordd yn Sir Fflint. Yn ôl yr erthygl mae yna amheuaeth ynglŷn â tharddiad yr enw Chwitffordd ond fe gofiaf i fod gan fy nhad gyfaill ar fferm o'r enw Rhydwen sydd yn yr un plwyf, mi gredaf. Ni wn pa enw ddaeth gyntaf.

Fy nhad oedd yn gyfrifol am gadw safle'r Maen yn dwt a byddai'n pladuro o'i gwmpas yn rheolaidd. Mae'r Maen cerfiedig yn cynnal croes dri medr a hanner o'r ddaear. Yn hanu o'r ddeuddegfed ganrif fe ddengys ddylanwad y Northmyn, efallai o'r un cyff â'r rhai a fu'n tyrchio, yn walio ac yn codi cartrefi ar dir y Glyn yn Llanbedr-goch, dau

lecyn sydd heb fod ymhell iawn o'r môr. Gyda llaw, taeraf
i mi unwaith glywed cyfeirio at genedl y Northmyn fel y
Gynt ond unwaith yn unig y bu i mi glywed hynny ac nid
oes gennyf ddim i brofi'r peth.

Er nad yw nghnawd ond gwellt
A'm hesgyrn ddim ond clai
Mi ganaf yn y mellt,
Maddeuodd Duw fy mai.
Mae Craig yr Oesoedd dan fy nhraed
A'r mellt yn diffodd yn y gwaed.

Y diweddar Gwilym R. Jones ddyfynnodd stori neu ddwy
am Ehedyd Iâl (William Jones), yr emynydd a ysgrifennodd
yr emyn uchod, un o emynau gorau'r iaith Gymraeg. Yr
oedd Ehedydd Iâl yn ffraeth a pharod iawn ei linell. Pan
oedd ei olwg yn pallu fe aeth i chwilio am sbectol. Wedi cael
un addas ac yntau ar ei ffordd o'r siop gofynnodd ffrind iddo
a oedd yn gweld rhywfaint gwell.

"Wel, ydw," meddai Ehedydd Iâl:

"Gwelaf uwchlaw disgwyliad – y mynydd
A'r manion heb eithriad,
A chŵn lu, holl chwain y wlad,
A'r llau yng ngolau'r lleuad."

Y DIWEDDAR Barchedig John Roberts adroddai hanes y
ddau fardd, R. Williams Parry a William Jones, Tremadog,
yn cyfarfod a gorfod osgoi tarw yng nghyffiniau'r Lôn

Goed. Gyda'r nos fe aeth R. Williams Parry yn ei gar adref i Fethesda a William Jones a John Roberts yn eu car hwythau i Borthmadog. Y peth cyntaf a ddywedodd William Jones pan oedd y ddau gyda'i gilydd oedd, "Ddaru chi sylwi fel yr oedd Parry ofn y tarw 'na?"

Ymhen yr wythnos yr oedd John Roberts yn galw hefo Williams Parry yn ei gartref ym Methesda a chyn gynted ag yr oedd trwy'r drws dyma'r bardd yn dweud, "Doedd hi'n ddoniol gweld William Jones a chymaint o ofn y tarw hwnnw?"

AT EI GILYDD lle cymwys iawn i ganfod rhesi o eiriau call yw llys barn ond, o dro i dro, fe fydd ambell lys yn gostwng y safon ac yn rhoi achos i rywun gadw rhestr o'r ffolinebau a ddigwydd bryd hynny. Cafwyd un o'r llysoedd hynny yn yr Unol Daleithiau a dyma rai a nodwyd:

— Nawr 'te, Doctor, onid yw'n wir, pan fydd rhywun yn marw yn ei gwsg ni fydd yn gwybod hynny tan y bore wedyn?

— Y mab hynaf, yr un ugain oed, faint ydi ei oed o?

— Oeddech chi yno pan dynnwyd eich llun?

— Y chi ynteu eich brawd gafodd ei ladd yn y rhyfel?

— Ai y fo a'ch lladdodd chi?

— Pa mor bell oddi wrth ei gilydd oedd y ddau gar pan aethant i wrthdrawiad?

— Yr oeddech chi yno nes i chi adael. Cywir?

PAN DDAETH fy ngwraig Magdalen o Faesteg i Fôn bron drigain mlynedd yn ôl fe fu'r dafodiaith yn fymryn bach o faen tramgwydd iddi am ychydig fisoedd. Un fantais oedd ei bod yn cael popeth gan bawb gan nad oedd pobl yn deall digon ar ei thafodiaith i'w gwrthod. Ac yr oedd pethau'n gweithio y ffordd arall hefyd wrth gwrs. Un o'r arferion iaith fyddai'n peri annealltwriaeth oedd y modd y byddai pobl yn defnyddio'r negyddol i fod yn gadarnhaol. Anodd oedd iddi wybod yn iawn sut i ymateb pan ddeuai'r gwahoddiad, "Waeth i chi ddwad hefo ni, ddim." Cwestiwn arall fyddai'n anodd ei ateb oedd y cynnig i fwyta mwy, "Chym'wch chi ddim brechdan arall, na chym'wch?" A byddai'n cael ei siarsio i ddod i'r fan a'r fan ac i'r lle a'r lle gyda'r geiriau, "Cym'wch chi ofal peidio dŵad, rŵan." Ond fe ddaeth trwyddi yn burion ac ymhen ychydig fisoedd fe allai eu rhaffu nhw cystal â neb.

Yn DILYN o'r sylwadau uchod, fel y byddan nhw'n deud, fe feddyliais am rai geiriau na chaf eu clywed y dyddiau hyn. Mae'n debyg na fyddwn yn y lle iawn ar yr adeg iawn! Erstalwm fe glywid am hwn a hwn yn cael ei olchi gan rywun yn yr ysgol. Doedd a wnelo sebon ddim â'r peth ond roedd rhyw greadur bach wedi cael stid neu gweir, wedi cael harnis neu wedi ei hiro, ei golbio a'i waldio. Mae'n debyg fod rhywun wedi bygwth fy leinio innau mewn oes o siarad plaen felly, yn fwy na thebyg am fy mod wedi bod yn pwmpio cerrig a gwneud i rywun ddamio a sincio, rhegi a rhwygo.

CAF FLAS MAWR ar y gyfrol *Valentine* gan Arwel Vittle, gan ddilyn y Cymro mawr, Lewis Valentine trwy'r coleg, ffosydd

Ffrainc, fflamau Penyberth, celloedd Wormwood Scrubs a chyfrifoldebau'r weinidogaeth. Hawdd credu mai yn y coleg ym Mangor y cychwynnodd ei frwydr dros ei iaith ac mai ar y Somme y dechreuodd frwydro dros ei wlad. Daliwyd fy sylw gan y paragraff yma am y rheswm fod cofebau Cymru mor llawn o enwau ein bechgyn ifanc, a cholofnau papurau Llundain mor wag amdanynt:

> Ei wlad oedd ei ragfarn fwyaf yn erbyn y rhyfel, Cymru a yrrodd y nifer mwyaf o fechgyn i'r ffosydd, ac a gollodd fwy na'r un wlad arall ac a ddioddefodd yn enbytach – dyna un o baradocsau y rhyfel … Yr oedd catrodau Lloegr yn cael pob clod, a phapurau'r Deyrnas yn canu eu clodydd beunydd, ond nid oedd aberth Cymru yn werth sôn amdano.

FEL AG YR OEDD "Morgi", Morgan D. Jones, yn athro Cymraeg ac yn awdur ymroddedig yn Ysgol Ramadeg Maesteg, felly yr oedd Miss Wilias Bach yn athrawes Saesneg oleuedig yn Ysgol Ramadeg Llangefni. Nid fy swyddogaeth i yw achub cam y Saesneg ond fe fuasai Miss Wilias yn gwaredu o weld y cam a wneir â'r Saesneg y dyddiau hyn, ar y radio a'r teledu a hyd yn oed yn y "papurau gorau".

Pryd welsoch neu glywsoch chi'r gair *most* ddiwethaf? Fe'i clywais i o ddwywaith mewn dwy flynedd, y tro diwethaf fis yn ôl o enau Siân Williams, darllenydd newyddion teledu'r B.B.C. Efallai bod a wnelo'r ffaith ei bod hi'n ddisgynnydd i dad William Williams Pantycelyn rywbeth â'i gofal o iaith. Beth bynnag am hynny, dyma i chi enghraifft neu ddwy o'r camwri:

— For the vast majority of the Calcutta Cup match. (*Sunday Times*, 9 Mawrth)
— The bulk of the people did not know what to do. (Teledu)
— During the majority of the big-spending Ospreys' bid for glory. (*Western Mail*)
— For the majority of the time they stayed in their houses.
— The greater amount of money was wasted.

Fe fyddai Miss Wilias yn dweud *majority*, os byddai rhaid, wrth sôn am nifer, a *bulk* hefo pentwr solat er enghraifft, os nad oedd y gair *most* wrth law. Ond dyna fo, eu hiaith nhw ydi hi a'u mochyn nhw ydi o.

❧

MAE YNA LAWER ffordd o ddweud wrth rywun am gau ei geg. "Cau dy hopran" medd rhai gan gyfeirio at y twmffat mawr sy'n derbyn y grawn mewn melin. Un arall a glywais yn ddiweddar (nid fel gorchymyn, cofiwch!) yw, "Rho glo ar lidiart y lôn goch yna." Ond mae ambell un nad yw'n credu mewn gwastraffu geiriau yn cyfyngu ei hun i ddau air miniog, "Cau hi." Ond cofiwch, nid pawb sy'n disgwyl cymaint ac fe gred rhai fod llai yn ddigon, gan ddweud, "Cau ei hanner hi."

❧

GWNAETH RHYWUN restr o'r llithriadau annoeth a welwyd mewn cylchgronau eglwysig yn ddiweddar ac, yn llawn cydymdeimlad, dyma rai ohonynt:

— Bydd Weight Watchers yn cyfarfod yn yr ysgoldy am saith. A fyddwch mor garedig â defnyddio'r drysau dwbwl yn y cefn?

— A wnaiff y gwragedd gofio am y *Rummage Sale?* Dyma gyfle i gael gwared â'r pethau nad ydynt yn werth eu cadw. Dewch â'r gŵr hefo chi.

— Nos Iau cynhelir ymarfer y côr. Mae arnynt angen pob help.

— Priodwyd Tom a Bethan ar 14 Hydref. Felly y daeth i ben y cyfeillgarwch a gychwynnodd yn eu dyddiau ysgol.

YN NIWEDD CHWEFROR fe'm darbwyllwyd y dylwn roi amser i weld y ffilm *The King's Speech* mewn sinema ar gyrion Llandudno. Fûm i ddim yn y pictiwrs ers tro byd ond taered y gwahoddiad, dyma fynd ac ni fedraf ddweud i mi ddifaru chwaith. Gwelais bortread o frwydr y brenin Siôr VI yn erbyn cloffrwm geiriol ei atal dweud a medrusrwydd di-ildio ei hyfforddwr. Yr oedd siarad yn gyhoeddus yn boendod i'r brenin ac yr oedd hyd yn oed yr areithiau byrraf yn peri arswyd iddo. O ran gwead ac actio yr oedd y ffilm yn haeddu'r pedwar Oscar a'r wyth enwebiad a ddaeth iddi yn y man.

Un o areithwyr enwocaf dinas Athen yn y drydedd ganrif Cyn Crist oedd Demosthenes. Yn ôl yr hanes yr oedd ei araith gyntaf yng Nghynulliad y ddinas yn fethiant llwyr gan fod y llythyren *p* yn achosi atal dweud arno. Ond nid un i wangalonni oedd Demosthenes. Aeth ati'n ddeheuig i wella'i grefft ac yn y man yr oedd ei areithiau i ennill eu lle yng nghyfrolau hanes y byd. Un tebyg oedd Aneurin Bevan. Pan ofynnwyd iddo sut yr oedd yn meistroli ei ddiffyg wrth annerch cynulleidfa, fe ddywedodd, "Byddaf yn eu diawlio i'r cymylau."Tyngai'r dramodydd, Francis Bacon, bod digon o win coch yn lliniaru'r broblem iddo fo. Bu farw tad y nofelydd enwog Somerset Maughan a bu rhaid iddo fynd i fyw at ei ewythr dideimlad. Tua'r adeg yma fe aeth i un o golegau Caergrawnt lle y cymerwyd ef yn ysgafn oherwydd ei Saesneg diraen. Dyma'r cyfnod pryd y dechreuodd yr atal dweud arno.

Ond nid Siôr VI oedd y brenin cyntaf i gario baich yr atal dweud. Y brenin cyntaf i gael trafferth felly oedd Louis yr Ail, brenin ar ran fawr o Ffrainc yn y nawfed ganrif. Cyfrifid ef yn ŵr syml ac addfwyn, brenin a safai dros gyfiawnder a chrefydd. Serch hynny, ei weithred olaf cyn marw oedd codi yn erbyn y Northmyn a oedd yn beryg bywyd yn Ewrop ar y pryd.

Fe ddywedir, os am gymwynas gofynnwch i rywun prysur. Yn ôl a ddarllenais yn ddiweddar dipyn o gamp fyddai cael hyd i rywun prysurach na'r pensaer, Syr Christopher Wren. Fe'i ganwyd yn 1632 mewn pentref o'r enw East Knoyle ger Shaftesbury yn fab i ddeon Windsor. Mae lle i gredu erbyn hyn fod y teulu'n hanu o Gymbria (Rheged), yng ngogledd Lloegr. Mae yna hefyd le i gredu mai gwraidd yr enw Wren oedd Urien. Gyda llaw Urien Rheged oedd arweinydd Cymry'r Gogledd yn y chweched ganrif.

Yn dilyn ei gyfnod yn Rhydychen penodwyd Wren yn Athro Seryddiaeth yn Llundain a Rhydychen. Ymddiddorai mewn pensaernïaeth a chynlluniodd Goleg Pembroke yng Nghaergrawnt a Theatr y Sheldonian yn Rhydychen. Y fo gafodd y cyfrifoldeb o adfer Llundain yn dilyn tân mawr 1666. Fe'i penodwyd i adnewyddu Cadeirlan Sant Paul a rhwng 1670 a 1722 fe gododd 52 o eglwysi a chapeli o fewn terfynau Llundain yn unig. Erbyn 1673 yr oedd wedi gorffen cynllun Sant Paul ac yn 1681 fe'i dyrchafwyd yn Llywydd y Gymdeithas Frenhinol. Yna, fe gynlluniodd ysbyty enwog Chelsea a derbyn arolygaeth Castell Windsor. Fel petai hyn i gyd ddim yn ddigon fe'i hetholwyd yn Aelod Seneddol Plympton, wedyn Windsor ac yna Weymouth. Erbyn 1716 yr oedd cadeirlan enfawr Sant Paul wedi ei chwblhau. Bu Wren farw yn 1723 yn 90 mlwydd oed ac ar ei fedd rhoddwyd y geiriau "Lector, si monumentum requiris, circumspice", yr hyn o'i led-gyfieithu yw, "Ddarllenydd, os wyt am weld ei gofadail, edrych o dy gwmpas."

"Rwyf wedi colli drecsiwn y dyn yna ac y mae hynny wedi fy rhoi mewn dipyn o sactisiwn. Wel'is i 'rioed rotsiwn beth." Rhywbeth fel yna fuasai fy nain yn ei ddweud petai hi'n fyw. Mae gen i syniad mai cyfeiriad ar amlen yw'r drecsiwn yna, *direction* felly. Ac fe gredaf mai ffordd arall o ddweud *sad condition* ydi sactisiwn. Ond wyddwn i ddim o ble daeth y rotsiwn yna cyn mynd i chwilio a chael ar ddeall mai talfyriad o "'rioed ffasiwn beth" ydi o.

Merch o Edmonton, Llundain, oedd Doreen Owen. Doreen Robertson oedd hi cyn priodi Aled Owen, Caeysgawen, Rhos-fawr a fu'n aelod sgilgar o dîm pêl-droed Tottenham Hotspur. Cofiaf ei gweld hi am y tro cyntaf hefo Aled trwy ffenestr y caffi hwnnw oedd wrth ochr y clwt bowlio ger sgwâr Benllech. Toc a da fe ddaeth y ddau yn gymdogion i ni ac yn rhan o'n bywydau ym Maes Llydan. Doreen oedd yr un fyddai'n agor ffenestr ei chegin a siarsio'r plant nerth ei phen i "Siarad Cymraeg". Hi hefyd a ddywedodd y gwir plaen heb flewyn ar ei thafod wrth y gŵr hwnnw a gododd ei gloch mewn cyfarfod i fentro dweud, "Why don't you speak a language we can all understand?" Ei hymateb oedd, "You make me ashamed of being English." Doreen hefyd ddysgodd Gymraeg ac a ysgrifennai yn Gymraeg ar bob cerdyn Nadolig a cherdyn pen-blwydd. Mae un cerdyn yn fy llaw i rŵan ac arno mae:

"Bydd rhai pobl yn ymweld â'n bywydau ni ac yna'n diflannu'n fuan. Bydd rhai eraill yn aros ysbaid ac yn gadael ôl eu traed ar ein calonnau a fyddwn ni byth yr un fath."

Os yw hynny'n wir am rywun yna mae'n wir am Doreen Owen a'n gadawodd yn Awst 2013, yn llawer rhy fuan.

YN ÔL UN HANESYDD, ym mis Mehefin y digwyddai llawer o briodasau yn yr unfed ganrif ar bymtheg. Yr oedd hynny gan fod y mwyafrif o bobl yn cymryd eu baddon blynyddol ym mis Mai ac nid oedd eu harogl wedi dirywio cymaint â hynny mewn mis. Serch hynny doeth oedd i'r briodferch ddal tusw o flodau i guddio hynny o ddrewdod corfforol oedd wedi oedi yma ac acw. Dyna oedd dechrau'r arferiad o gario blodau mewn priodas.

Yr adeg honno ymolchai pawb yn yr un twb yn awr ac yn y man. Gŵr y tŷ gamai i mewn gyntaf, yna'r meibion gyda'r merched yn dilyn. Yn olaf tro'r babanod oedd hi ac erbyn hynny doedd hi ddim yn hawdd gweld y creaduriaid bach gan fod y dŵr yn bygddu. Felly fe ddywedid yn aml, "Peidiwch â thaflu'r babi allan hefo'r dŵr."

CLYWAIS DDAU o bobl ar raglenni teledu gwahanol yn rhoi eu barn ar fywyd. Meddai un: "Mae bywyd fel gardd, gellir cael munudau o bleser yn y ddau ond nid yw'n aros, dim ond ar y cof."

Ac meddai'r llall: "Does a wnelo bywyd ddim ag eistedd a disgwyl i'r storm fynd heibio, mae a wnelo bywyd â dawnsio yn y glaw."

Peth arall a glywais ar y teledu, nad oes a wnelo ddim â bywyd – i'r gwrthwyneb efallai – oedd hyn: "Mae rhedeg y wlad yn debyg iawn i sefyll mewn mynwent, mae yna ddigon o bobl o danoch ond ni wnânt ddim a ddymunwch."

Medd y Sais wrth ddyweddïo ei ferch:
   Ai dewr a doeth, ai da'r dyn?
   Oes da iddo, oes dyddyn?
Medd y Cymro wrth ddyweddïo ei ferch:
   Pwy ei dad o, pwy ei daid o?
   Pwy ei nain, pwy hen nain honno?

DAETH GALWAD FFÔN o Sir Gaerfyrddin ac yn y sgwrs fe glywais air dieithr iawn i mi, sef y gair *hwrlyn*. Cymhellodd y geiriadur fi i chwilio am y gair a'i tadogodd, sef y gair *chwrlyn*. O ufuddhau i'w gyfarwyddyd fe gefais mai chwydd neu lwmp ar y pen yw chwrlyn (neu hwrlyn ar lafar), lwmp a achoswyd gan ergyd.

RHYW DUEDDU i anghofio helyntion ysbyty y byddaf i er nad aiff y gofal a'r caredigrwydd dros gof chwaith. Ond fe gofiaf ambell ddywediad ffraeth a ddeuai o enau ambell glaf yn ei holl bryder. Yn Llundain yr oedd amryw o'r cleifion yn hanner dall a Paddy yn un ohonynt ac am dynnu hynny allai o hiwmor o'r sefyllfa. Yr oedd gan Paddy grât nobl o Guinness dan ei wely a phan ddaeth arolygwr ato i'w holi ynglŷn â'r dywededig gynhaliaeth fe sibrydodd Paddy yn ei glust, "I would strongly advise you to turn around and quietly walk away." Ac felly y bu.

Pan oedd dylifiad yr ymwelwyr yn ei anterth fe afaelodd Paddy mewn peipen ddŵr diffodd tân a'i rhoi wrth ei glust, gan geisio byseddu'r cylch coch anferth, cymaint ag olwyn trol, oedd yn dal y beipen. Daeth hen wraig fach garedig heibio a gofyn yn dosturiol a allai ei helpu mewn unrhyw fodd. "Yes," meddai Paddy. "I'm trying to get Tipperary 640!"

Dro arall deuai gŵr brwdfrydig di-droi'n-ôl o gwmpas y ward i gymell caneuon ar radio'r ysbyty. Yr oedd wedi targedu'r hen fachgen yn y gwely agosaf ataf er nad oedd gan hwnnw ddiddordeb o gwbl yn y gŵr, ei radio na'i ganeuon. Wedi un pwl hir o swnian fe droes yr hen ŵr ei wyneb at y pared ac ochneidio,"What about a few bars of 'Silent Night'?"

Yr oeddwn wedi gweld y term dwyreiniol *pen-geulu* mewn rhyw lyfr ac fe ofynnais i nyrsiwr o Indiad yn yr ysbyty hwnnw a wyddai beth oedd ei ystyr, gan ei ynganu yn y ffordd Gymraeg. Na, wyddai o ddim. Ond ymhen deng munud fe ddaeth yn ei ôl a dweud nad oeddwn wedi ynganu'r gair yn iawn, *pen-gwlw* oedd y gair, yn golygu penteulu!

Fe wyddwn fod y mwyafrif o ieithoedd Ewrop yn rhaniadau o'r garfan ieithoedd Indo-Iwropeaidd ond mae lle i

ryfeddu fod y berthynas yn parhau rhwng yr iaith Hindi a'r
Gymraeg, ar wahân i'r acen felly. Dyma rai enghreifftiau: *pra*
(brawd), *mosi* (modryb), *do* (dau), *saath* (saith), *naw* (naw),
dant (dant), *marna* (marwolaeth), *janana* (geni), *tap* (tân).

✍

Yr oedd gŵr ieuanc ar bigau'r drain pan aeth i gyfarfod â'i
ddarpar dad yng nghyfraith am y tro cyntaf.

"Gobeithio nad wyf wedi eistedd yn eich cadair chi,"
meddai'n foesgar.

Ac meddai tad ei gariad, "Popeth yn iawn, y fi piau nhw
i gyd."

✍

Fe ddigwydd llawer ysgarmes eiriol yn y tŷ hwn, yn
ystyr orau'r gair wrth gwrs, gyda Magdalen yn moesgar
amddiffyn geirfa Morgannwg a Sir Gâr, a finnau'n sefyll yn
eofn a mwyn-fygythiol dros eiriau llafar Môn. Diau ei bod
hithau yn cofio'r niwl ieithyddol y bu hi ynddo hanner can
mlynedd yn ôl pan oedd pawb yn cydweld â hi a hithau'n
cydweld â phawb arall o ddiffyg deall tafodiaith y naill a'r
llall. Ond erbyn hyn, yn yr ymgodymu presennol, Magdalen
fydd yn rhoi pen ar y mwdwl trwy daro'r ynys yn ei gwendid
gan edliw llacrwydd cynhenid o leiaf ddau o'i geiriau
cymysgryw, cetl a manijo! Ond daeth cymorth a thanwydd
i'r ddau safbwynt o gael benthyg y gyfrol ddiddorol, *The
Linguistic Geography of Wales* (Alan R. Thomas).

Anorfod braidd oedd chwilio pa eiriau oedd yn unigryw
i Fôn, gydag ambell un wedi mynd ar gyfeiliorn i Fangor a'r
cyffiniau, nid iddynt gael hir gartref yn y ddinas honno yn ôl

pob golwg. Dyma i chi rai o'n geiriau brethyn cartref ni ym Môn, yn ôl y llyfr:

Bydâi am dai allan ar fferm, eirin perthi am eirin duon bach, cocyn gwair am fwdwl o wair (fe'i ceir yn Sir Fflint hefyd), dalan poethion am ddanadl poethion, cwalar am ddarn o wydr mewn ffenestr, pethau da am finciag, da-da neu fferins, crwn am yr aflwydd hwnnw ar y croen, chwiws am biwiaid (y mân bryfed sy'n eich pigo dan y coed), robin sbonc am geiliog rhedyn, llynghyren ddaear am bry genwair, gala pen wirion am fadfall, puo am fygynad tarw, crysbas i'w wisgo dan y crys, ffunan bocad am hances boced, lôn am ffordd, cetl am decell (er mawr gywilydd i ni), tollti am dywallt, rar ŷd am ydlan neu ardd wair, tu chwynab allan, bwrw glafoerion am lafoeri a daffod am ddatod. Chlywais i ddim sôn, yn y rhestr, am fwcog sef ffrwyth y rhosyn gwyllt.

Cofiaf fy niwrnod cyntaf yn yr ysgol, yn blentyn pedair oed. Ac Ysgol Gynradd Trelogan Sir y Fflint oedd yr ysgol honno, y drws nesaf i Fryn Awel, cartref yr enwog David Lloyd. Cofiaf fynd i mewn trwy'r giât a chael fy ngharlo ar ysgwyddau'r hogia mawr fel ag i ganol rhyw don gynnes o ddedwyddwch.

Mae'n rhaid fy mod wedi mynd trwy ystafell ddosbarth y prifathro gan fy mod yn cofio gweld llyfr melyn o ymarferion Cymraeg yn agored ar bob desg. Wyddwn i ddim bryd hynny y cyfeirid at y prifathro, Caradog Williams, fel dyn o flaen ei oes ond wrth ddarllen llyfr y cerddor Rhys Jones, *Fel Hyn yr oedd Hi*, fe gefais achos arall i gofio hynny ac i gofio hefyd fod rhai o garfan y "Be' ma'r Gymraeg yn dda iti dros Glawdd Offa" yn gryf ar y ffin yn Sir y Fflint yr adeg honno.

Fel hyn y mae Rhys Jones yn dweud – diolch iddo fo, ac i
Garadog Williams:

> Yn Nhrelogan yr oedd gweledigaeth Joseff Caradog
> Williams yn rhyfeddol. Ymhell cyn bod sôn am
> ysgolion Cymraeg yr oedd Joe Crad wedi penderfynu
> mai Cymraeg oedd yr iaith i fod, a Chymraeg yn unig.
> Os oedd rhieni, – o Lerpwl, dyweder – yn gofyn am
> fynediad i'w plant, ateb Joe Crad bob amser oedd, 'Of
> course, but remember, Welsh is the language of this
> school.' Felly y bu. Magodd genedlaethau o blant rhugl
> eu Cymraeg.

Ac y mae'n anodd iawn peidio meddwl am ŵr arall o gyffelyb
fryd, sef Ifan Watcyn Owen, Caeysgawen, a gododd ar ei
draed mewn cyfarfod a chyhoeddi'n glir, "We are living in
the parish of Llanfair Mathafarn Eithaf, Welsh first and
English after."

✍

MAE GAN BAWB ei ffordd ei hun o ddymuno'n dda i rywun
wrth ffarwelio a chanu'n iach: Bydd wych, Hwrê rŵan, Da
boch chi, Ta ta, Yn iach, Wela'i chi, Pob hwyl, Pob bendith,
Hwyl fawr (a fflag arni!). Maent yn dweud i mi mai gair
y Canghellor mewn Seremoni Graddio ym Mhrifysgol
Cymru yw "Hawddamor". Ac fe ddymunai Goronwy Owen,
"Rhwydd hynt a dehau helynt", wrth ymadael. Pan oeddwn
yn llencyn byddwn yn clywed y gair "Tangnefedd" pan
ffarweliai dau. Gwnâi hyn i mi feddwl am y gair "Salaam", a
ddefnyddir yng ngwledydd y Moslem ac yn air yr oedd gan
Cynan gryn feddwl ohono gan iddo gyfansoddi cerdd o dan
y teitl hwnnw:

Ni wn i am un cyfarchiad gwell
Nag a ddysgais gan feibion y Dwyrain pell;
A'u dymuniad hwy yw 'nymuniad i
— Tangnefedd Duw a fo gyda thi.

Traddodiad yr Arab oedd dweud y gair "Salaam" gan roi cledr y llaw dde ar y talcen a lled-ymgrymu. Gair Arabeg ydyw wrth gwrs ac yn gyfystyr â'r gair Hebraeg *shalom*. Yn Gymraeg fe gaem "Tangnefedd i ti", a hynny mae'n debyg yn tarddu o'r chweched bennod o Lyfr y Barnwyr pan ddywedodd yr Arglwydd wrth Gideon, "Tangnefedd i ti, nac ofna, ni byddi farw." Fe geir y gair mewn amryw o enwau priod. Ystyr Solomon yw heddychol ac y mae Salome yn golygu heddwch. Ni ddefnyddir enw Salome, y ferch oedd eisiau pen Ioan Fedyddiwr ar blât, gan Mathew na Marc, mae'r ddau'n cyfeirio ati fel merch Herodias. Enw rhyw dduw cyntefig oedd Shalem a dyna wraidd yr enw Jeriwsalem ac aml i Salem yng Nghymru, America ac Amlwch.

MAE AMBELL DDYWEDIAD yn dwyn gwên atgofus gan aros yn y cof. Dros ddeugain mlynedd yn ôl yr oedd tai bach y plant a'r athrawon yn Ysgol Llanfair-pwll yng ngwaelod yr iard. Yr oedd Miss Eurgain Morris-Jones (nith i Syr John) wedi bod yno ac ar ei ffordd yn ôl i'r ysgol pan ddaeth bachgen bach pump oed ati, gafael yn annwyl yn ei llaw, edrych ym myw ei llygaid ac adleisio cwestiwn ei fam, "Wnaethoch chi'n iawn, Miss Jos?"

DIFYR AC IACHUSOL oedd ymweliad byr â'r Alban. Lletyem mewn tref fechan o'r enw Dunkeld (dinas y Caledoniaid) heb fod ymhell o Perth, enw sydd wedi glynu wrth ei ffurf a'i ystyr (gwrych) o gyfnod y Frythoneg. Un o hynodion pennaf Dunkeld oedd y bont dros afon Tay, pont a godwyd gan Thomas Telford yn 1809, pan oedd Telford yn 52 mlwydd oed, 17 mlynedd cyn iddo godi Pont y Borth. Dyma ddywedir ar ystlys Pont Dunkeld: "Cynlluniwyd y bont hon gan Thomas Telford (1757-1834) ac fe'i codwyd yn 1809."

Ac ar y mur ger cadeirlan Dunkeld y mae darn o haearn hir yn dynodi'r hyd safonol i fesur deunydd, sef yr *ell*. Fe glywais yn rhywle mai dyna'r mesur o flaenau'r bysedd i'r penelin, er bod y mesur ar y mur (45 modfedd) yn ymddangos yn llawer hwy na hynny. Yn anochel fe aeth fy meddwl at y gair *el-bow* yn Saesneg ac yna at y gair *pen el-in* yn Gymraeg. Tybed?

✑

AC FE GAFWYD egwyl mewn pentref o'r enw Moffat. Mae'r *mo* yn yr enw yma o'r un tarddiad â *ma* yn y gair *maes* ac yn yr enw Mathafarn, sef lle gwastad, agored. Ac os maes ger y dafarn yw ystyr Mathafarn, maes hir yw Moffat gan mai'r gair Gaeleg am hir yw *fada*. Ac efallai bod hyn yn bwrw peth goleuni ar y dirgelwch mawr, sef ystyr yr enw Môn. Mae'n debyg fod Môn yn lle gwastad ac agored hefyd o'i chymharu ag ysgythredd Eryri.

A thra'n bod yn sôn am enwau lleoedd, bu dau enw lle yng Nghymru yn peri cryn benbleth i mi – Plwmp a Trap. Does neb wedi fy ngoleuo ar ystyr y cyntaf ond cefais eglurhad ar yr ail mewn llyfryn bach ar Gastell Carreg Cennen (Caer Cynan yn wreiddiol meddan nhw) y diwrnod o'r blaen. Enw gwreiddiol Trap, ar lethrau'r Mynydd Du yn Sir Gaerfyrddin, yw Tir ap Rhys ("Tir ap"), sef y tir oedd yn eiddo i fab yr Arglwydd Rhys (Rhys ap Gruffudd) o Gastell Dinefwr yn Llandeilo.

DIOLCH I GAYNOR EVANS am yr atebion yma a gafwyd gan blant pan ofynnwyd iddynt ddweud beth olygai'r gair cariad iddynt:

— Pan gafodd Nain arthreitus fedrai hi ddim plygu i beintio ewinedd ei thraed, felly mae Taid yn eu peintio iddi, er bod arthreitus yn ei ddwylo yntau. Dyna beth ydi cariad. (Rebecca – wyth oed)

— Pan mae hogan yn rhoi sent a'r hogyn yn rhoi afftyr shef ac yn mynd allan i glywad ogla ei gilydd. Dyna beth ydi cariad. (Karl – saith oed)

— Pan dach chi'n mynd allan am bryd o fwyd a rhoi hanner eich *chips* i rywun heb ofyn am ddim un o'u *chips* nhw. Dyna beth ydi cariad. (Chrissy – chwech oed)

— Cariad sy'n gwneud i chi wenu pan fyddwch wedi blino. (Terri – wyth oed)

— Pan fydd Mam yn gwneud coffi i Dad ac yn cymryd llymaid ohono gyntaf i wneud yn siŵr ei fod yn iawn, dyna beth ydi cariad. (Danny – saith oed)

— Cariad ydi pan fo'ch ci bach chi yn llyfu'ch wyneb chi a chithau wedi ei adael o ar ben ei hun drwy'r dydd. (Mary Ann – chwech oed)

BU ASTUDIAETH DRYLWYR ar y gweill yng Nghanada yn ddiweddar ac fe ddaethpwyd i'r penderfyniad fod dwyieithrwydd nid yn unig yn ddaioni i'r ysbryd ond yn llesol i'r meddwl. Nid yn unig fod pobl dwyieithog, rhwng 30 a 88, yn finiocach eu meddwl ond y maent yn debyg o barhau felly gymaint yn hwy. Rydw i'n teimlo'n well yn barod! Fe fu cred bod ymgodymu â phosau croeseiriau a chanu offerynnau cerdd yn ymestyn y cynheddfau meddyliol ond erbyn hyn dwyieithrwydd sydd yn y ffasiwn. Synnwn i daten na fydd yna bobl yn neidio dros Glawdd Offa rŵan, yn taflu eu tabledi i'r pedwar gwynt ac yn dod yn un fflyd dros Bont y Borth gyda *Welsh Made Easy* yn un llaw ac *Algebra for Beginners* yn y llaw arall.

⸎

BÛM YN DARLLEN am ddiflaniad tybiedig y Gernyweg ac yn diolch fod y Gymraeg yn dal yn fyw gyda chymaint o ymdrechion swyddogol ac answyddogol i'w chadw felly. Cyn belled ag y gwelaf i bethau, does ond un ofn ar ôl bellach, ofn y pydredd oddi mewn, pydredd esgeulustod, diogi a dihidrwydd y Cymry eu hunain. Mae'r iaith Saesneg mor fawr, mor agos a'i geiriau mor gyfleus a hollbresennol. Diolch am y Beibl Cymraeg ac i'n llenyddiaeth ysgrifenedig am gludo'r Gymraeg cyn belled â hyn. Diolchwn, gwerthfawrogwn, ymdrechwn ac na phechwn mwyach! Ond dyna fo, dwi'n siarad â'r cadwedig.

Y ddeunawfed ganrif oedd canrif olaf y Gernyweg fel iaith fyw. Roedd yn anodd credu iddi fyw am wyth gan mlynedd ar ôl i Gernyw gael ei gorchfygu. Ychydig o frodorion Cernyw oedd yn unieithog yn yr ail ganrif ar bymtheg. Bu farw Cheston Marchant o Gwithian yn 1676 yn 64 oed. Fe gofnodwyd na allai Cheston siarad yr un iaith ond Cernyweg, cofnod sy'n awgrymu bod unieithrwydd yn beth dieithr hyd yn oed yr adeg honno.

Fe achosodd y diffyg llenyddiaith i bobl feddwl nad oedd y Gernyweg i'w hystyried yn bwysig o gwbl. Nid oedd yno unrhyw deimlad o genedl, a dweud y gwir, aeth y bobl yn ddiog, yn ddi-hid ac yn esgeulus. Troesant i ddynwared y byddigions nes iddynt hwy eu hunain ystyried Cernyw fel rhan o Loegr. Gwrthodai'r rhieni siarad Cernyweg â'u plant rhag ofn iddynt "gael eu dal yn ôl" gan yr iaith. O ganlyniad, o 1700 ymlaen roedd yr iaith yn dirywio'n gyflym. Ar ddechrau'r ddeunawfed ganrif fe sylwodd y Dr Edward Llwyd y siaredid Cernyweg mewn 25 plwyf fel iaith gyntaf. Nododd Edward Llwyd nad oedd y byddigions yn siarad Cernyweg a dywedent nad oedd angen gwneud hynny, gan fod pob Cernywiad yn medru siarad Saesneg.

I orffen, rydym i gyd yn gwybod fod y Gymraeg a'r Gernyweg yn perthyn yn agos i'w gilydd. O ran diddordeb dyma rai geiriau yn y ddwy iaith: *noweth* (newydd), *parvath* (perfedd), *scawen* (ysgawen), *velyn* (melin), *gwith* (gwŷdd, coed), *ithan* (eithin), *wen, wyn* (gwyn), *erow* (erw). Ac y mae rhai cannoedd o eiriau tebyg.

A WELAIS ac
a GLYWAIS (iii)

— Llac ei afael a gyll.

— Tydi'r dyfodol ddim beth oedd o!

— Triwch chi berswadio llygoden
fod gweld cath ddu yn lwcus.

— Mi gariais ei wyneb yn fy nghalon
am drigain mlynedd.
(Gwraig yn cofio'r milwr
a'i rhyddhaodd o Auschwitz)

Duw a Dyn

WRTH FEDDWL am wers yr ysgol Sul dyma feddwl am rai o ddigwyddiadau bywyd yr Iesu – ei farchogaeth i Jeriwsalem ar gefn asyn, ei weithred yn golchi traed y disgyblion, ei gyfarfyddiad â Moses ac Elias yn eu gogoniant, hanes Jiwdas yn ei fradychu ac ing y croeshoelio ar Galfaria. Anodd crynhoi hyn i gyd mewn un pennill, meddwn. Ond fe roes y diweddar Reg Powell, Llangefni, y cyfan mewn un englyn, ac englyn da ydi o hefyd:

> Gweld gras ar gefen asyn, – golchi traed,
> > Dirgelwch tri chlaerwyn;
> Gweled brad a gweld y bryn,
> Rhaid ei glodfori wedyn.

MAE'N DEBYG mai un o'i emynau sy'n gwneud Eben Fardd yn adnabyddus heddiw. Mae ei emyn yn dechrau fel hyn, "O! fy Iesu bendigedig, Unig gwmni f'enaid gwan," a dyma'r trydydd pennill fel y gwyddoch:

> Pwyso'r bore ar fy nheulu,
> Colli'r rheini y prynhawn;
> Pwyso eilwaith ar gyfeillion,

Hwythau'n colli'n fuan iawn,
Pwyso ar hawddfyd – hwnnw'n siglo,
Profi'n fuan newid byd:
Pwyso ar Iesu, dyma gryfder
Sydd yn dal y pwysau i gyd.

✍

FE FYDDWN yn llawenhau pan ddaw aelodau newydd i'r capel ac yn tristáu o golli hyd yn oed un, gan ofidio bod Cristnogion yn mynd yn brin a'n capeli'n cau. Pan glywn ni newydd da fe'i cawn wrth y degau ond nid felly mae pethau ym mhobman erbyn deall, maent yn syfrdanol o wahanol yn Tsieina yn ôl y sôn.

Yn swyddogol gwlad atheistiaidd yw Tsieina ac ni fuasai unrhyw un yn ei iawn bwyll yn mynd ati i ennill ei damaid yno trwy argraffu Beiblau. Ond fe'i mentrwyd hi gan berchennog cwmni o'r enw Amity. Fe argraffodd y cwmni hanner can miliwn o Feiblau gydag wyth o bob deg yn mynd i'r cartrefi, a'r llynedd fe argraffodd y cwmni dair miliwn o Feiblau.

Wrth gyfrif pennau yn Shanghai fe gafwyd bod 31 y cant yn cyfrif eu hunain yn grefyddwyr, gyda deuddeg y cant o'r rheini yn Gristnogion. Mae hynny'n awgrymu bod deugain miliwn o Gristnogion yn Tsieina, ac fe honnir gan rai bod 150 miliwn yn y wlad.

Mae yno gapeli Anghydffurfiol gydag aelodaeth o 17 miliwn, a'r hawl ganddynt i brynu Beiblau'n gyfreithlon. Mae yno hefyd gapeli aelwyd heb yr hawl i brynu Beiblau. Ym mis Awst aed â phennaeth un o'r capeli answyddogol hyn i'r ddalfa wedi iddo dderbyn tair tunnell o Feiblau o Dde Corea.

Mae'r angen ar gynnydd ac Amity am geisio ateb y galw. Eleni fe fydd y cwmni'n agor ffatri 48,000 o fetrau sgwâr i gynhyrchu miliwn o Feiblau bob mis. Tydi Cristnogaeth ddim yn dibynnu'n hollol ar yr hyn sy'n digwydd yng Nghymru, cofiwch!

✍

MEWN OEDFA GYMUN yn ddiweddar sylweddolais ein bod yn canu dau emyn o waith Emrys, sef "O Iesu mawr, pwy ond tydi" (534) a "Nesawn, nesawn mewn myfyrdod pur" (661). Brodor o Fangor oedd William Ambrose ac fe'i ganwyd yn y Penrhyn Arms yn 1813. Yr oedd yn gefnder i J. Ambrose Lloyd, organydd capel Queen's Street, Caer, awdur y dôn "Kilmorey" (427: "Caed modd i faddau pechod a lle i guddio pen", Mary Owen).

Yn bymtheg oed aeth Emrys i Lerpwl ac i'r fasnach ddillad, ac oddi yno i Lundain lle dechreuodd bregethu. Bu'n weinidog gyda'r Annibynwyr ym Mhorthmadog hyd ei farw yn 1873. Bu'n olygydd *Y Dysgedydd* am ugain mlynedd. Adeiladwyd y Capel Coffa ym Mhorthmadog er cof amdano.

Wedi mynd adref o'r oedfa y noson honno sylwais fod un o emynau Emrys, hoff emyn fy nhad, "Arglwydd, gad im dawel orffwys" (617), wedi dod yn ail allan o ddeuddeg emyn yn y rhaglen deledu *Emyn i Gymru.*

> Arglwydd, gad im dawel orffwys
> dan gysgodau'r palmwydd clyd
> lle yr eistedd pererinion
> ar eu ffordd i'r nefol fyd,
> Lle'r adroddant dy ffyddlondeb
> iddynt yn yr anial cras

nes anghofio'u cyfyngderau
wrth foliannu nerth dy ras.

&

A DYMA GIP BACH ar y gorffennol, sef llythyr a ymddang-
osodd yn *Y Drysorfa* 1832, tudalen 348, oddi wrth Owen
Jones, Minffordd, Ty'n-y-gongl (Owain Mathafarn, 1770-
1855) at Thomas Owen, Llangefni, ynglŷn â'r diwygiad a fu
yn ardal Ty'n-y-gongl a Glasinfryn:

Barchedig Gyfaill

Gan eich bod wedi deisyf arnaf anfon i chwi ychydig
o hanes y Diwygiad sy'n bresennol yn yr ardal yma, Ty'n-
y-gongl a Glasinfryn, ni fedraf ddweud ond ychydig
amdano ond gallaf ddywedyd yng ngeiriau y Salmydd
'Yr Arglwydd a wnaeth i ni bethau mawrion.'

Y modd y dechreuodd y Diwygiad. Daeth y newydd
allan fod y Geri Marwol (cholera) ym Miwmares a'i fod
yn ysgubo amryw o'r trigolion i dragwyddoldeb heb ond
ychydig rybudd. Anogwyd o'r cyfarfodydd gweddi (mal y
gwyddoch) yna daeth pobl yr ardal i ymgynnull ynghyd,
a daeth ymdeimlad o wasgfa ar y bobl oedd yn arfer
gweddïo yn gyhoeddus yn y cyfarfodydd am gymorth
yr Ysbryd Glân i weddïo yn ddwysach ac yn ddyfalach
am gael symud pla o bechod, yr hwn sydd yn achosi bob
pla a gofid a thrallod. Yna dechreuwyd llenwi y capel a
theiau eraill mal y dywedasant yng ngeiriau y Prophwyd
"Awn gan fyned i weddïo ger bron yr Arglwydd ac i
geisio Arglwydd y Lluoedd, minnau af hefyd". A byddai
rhai yn wylo ac ambell i floedd o Amen dros y capel, fel
y buasai yn dod o eigion y galon. Yn debyg i'r wedd yma
y dechreuodd y Diwygiad. Ond ers ychydig wythnosau

yn ôl fe ddarfu i Dduw arddelwi amryw o weinidogion
i bregethu ei air gydag awdurdod a nerth (o'r cyfryw
yr ydych chwi eich hun yn dyst). Nis gallaf yma roddi
eu henwau a'u testunau na phennau eu pregethau. Am
yr effeithiau mae lle i obeithio fod amryw wedi cael eu
hargyhoeddi i fywyd, i adael eu ffyrdd drygionus, ambell
i feddwyn wedi cael ei wneud yn sobr ac ambell i gablwr
yn weddïwr ac ugeiniau wedi cael eu tueddu i fyned i'r
gymdeithas neilltuol yn yr ardal a'r gymdogaeth yma a
byddai yn rhyfedd i glywed rhai ohonynt yn gweddïo
Duw ar goedd y dyrfa ac yn dywedyd am Ei enfawr
weithredoedd, – tristwch a llawenydd, a syndod yn
gorlenwi eu hen gyfeillion.

Owen Jones

WRTH WELD LLAWER o seddau gweigion yn ein capeli
heddiw mae'n chwith meddwl am yr ymdrechion a fu ddwy
ganrif yn ôl i ennill y rhyddid i wrando ar bregeth mewn
tŷ addoliad. Fel llawer ardal arall teilwng fu'r ymdrech yn
Nhy'n-y-gongl hefyd ac fe fu bron i'r ardal gael ei henwi'n
Fethesda. Fe ddaeth nifer o ddynion ieuanc at ei gilydd i
gynllunio sut i ddechrau codi achos y Methodistiaid yn y fro.
Yn y dyddiau hynny rhaid oedd cael trwydded gan yr esgob
i ymgynnull i wrando pregeth. Penderfynwyd cyfarfod yn
un o feudai fferm Ty'n-y-gongl a lluniwyd llythyr i'w anfon
at Esgob Bangor. Yr hyn sy'n fy moddhau i yw nad gofyn y
maent ond dweud. Nid wyf yn siŵr iawn o oedran gweddill
y dynion ond 41 oed oedd Owen Jones, Minffordd (Owain
Mathafarn) ar y pryd. Eisoes fe benderfynwyd galw'r tŷ
cwrdd yn Fethesda ac yn ôl y sôn mae yna garreg yn rhywle

ar y fferm gyda'r enw hwnnw arni. Yn Saesneg yr oedd y llythyr at yr esgob, wrth gwrs, ac nid wyf am gyfieithu gan fod y llythyr fel ag y mae yn rhoi awyrgylch a naws y cyfnod (a chyraeddiadau ieithyddol y tyddynwyr!). Fe rydd i ni hefyd gipolwg ar eu penderfyniad crefyddol, a chychwyn i'r gymdeithas gyfoethog yr ydym ninnau braidd yn esgeulus ohoni heddiw. Dyma'r llythyr:

TO THE RIGHT REVEREND
HENRY WILLIAMS,
LORD BISHOP OF BANGOR

We, the undersigned Protestant Dissenters from the Church of England by the denomination+- of Calvinistic Methodists take the liberty of representing that meetings for Religious Worship are to be held at a Certain House set apart for that purpose called Bethesda situate and being in the parish of Llanfair Mathafarneithaf in the county of Anglesey and diocese of Bangor may be registered in your Episcopal Church and a certificate given unto us, according to the direction of an Act of Parliament in that case made and provided.

Signed the 17ᵗʰ November 1811 : William Pritchard, Ty'n-y-gongl, Owen Jones, Minffordd, Owen Williams, Mynachlog, Robert Pritchard, Tyddyn Fadog, Benjamin Pritchard, Tyddyn Fadog, Humphrey Roberts, Tyddyn Iolyn a [sic?] Hugh Williams, Pant y Saer.

FE OFYNNODD RHYWUN i mi sut a pham. Wn i ddim yn iawn sut ond mi wn i mi eistedd yn y capel un nos Sul yn edrych ar y graen ym mhren y pulpud. Mae'n rhaid bod fy meddwl wedi crwydro oddi ar y bregeth am ysbaid ac fe ymddiheuraf am hynny, fydd o ddim yn digwydd yn aml. Fy esgus yw mai crefftwaith Duw a'm denodd:

> Syllais yn hir
> ar geinciau'r pren
> a naddwyd yn bulpud a chôr,
> llinellau a chylchau
> ar dreigl a thro
> fel olion ymweliad y môr.
> Dilyn pob llinell
> ac olrhain pob cylch
> mewn patrwm sy'n hŷn na loes
> a sylwi i'r Crëwr
> wrth lunio'r graen
> ymarfer pob ffurf ond y groes.

MAE YNA DRISTWCH ym mhob marwolaeth, marwolaeth perthynas neu gyfaill, marwolaeth anifail, marwolaeth coeden neu farwolaeth breuddwyd. Ond y dyddiau hyn mae yna farwolaeth arall i ni dristáu yn ei gylch. Mae yna iaith ar ei gwely angau. Mae'r Aramaeg, iaith yr Iesu, ar erchwyn ei chystudd olaf. Mae'r Aramaeg yn dair mil o flynyddoedd oed a hi oedd iaith bob dydd gwlad Israel o 539 o flynyddoedd Cyn Crist hyd at 70 mlynedd wedi geni Crist.

Ychydig filltiroedd o Ddamascus yn Syria mae yna bentref bychan yng nghesail y mynyddoedd a dyna'r unig le yn y byd crwn cyfan lle siaredir Aramaeg heddiw. Ond mae'r byd mawr y tu allan wedi agor ei ddrysau a'r bobl ifanc yn mynd trwyddynt i chwilio am fywyd gwell. Mae Ffrangeg a Saesneg yn dod i'r ysgolion ac nid oes mwyach yr arian na'r awydd i ddysgu'r Aramaeg. Ychydig flynyddoedd eto a dyna iaith arall, a'r union eiriau a ddaeth dros wefusau Crist, yn diflannu am byth oddi ar wyneb y ddaear. Dyma farwolaeth sydd yn agos atom i gyd gan ein bod yn defnyddio geiriau o'r Aramaeg heb yn wybod i ni ein hunain.

Wrth ddarllen y Testament Newydd fe fyddwn yn gweld y geiriau *Abba*, *Mamon*, a *Hosanna*. Yr oedd nifer o enwau pobl y Beibl yn deillio o'r Aramaeg – Boanarges, Ceffas, Thomas, Tabitha a Bartholomeus (mab yr aradwr), er enghraifft. Felly hefyd nifer o enwau lleoedd fel Gethsemane (lle y gwesgir ffrwyth yr olewydd), Golgotha (lle'r benglog), a Bethesda (tŷ gras).

Aramaeg oedd iaith gyntaf Crist ac fe'i defnyddiodd wedi ymaflyd yn llaw yr eneth fach a dweud wrthi "Talitha cwmi", yr hyn o'i gyfieithu yw, "Yr eneth, yr wyf yn dywedyd wrthyt, cyfod." Fe gyfarchodd Mair Magdalen y garddwr yn yr ardd fel "Rabboni" – yr hyn yw "Athro". Aramaeg oedd iaith o leiaf un o'r saith dywediad a lefarodd yr Iesu wrth farw ar y groes, "Eloi, Eloi, lama sabachthani" ("Fy Nuw, fy Nuw, paham y'm gadewaist?"). Fe'i gwelir hefyd yn yr adnod olaf o lyfr cyntaf y Corinthiaid, "Marana tha" ("Tyrd, Arglwydd").

A dyna'r iaith hynafol a gwerthfawr sydd ar fin ymdawelu i ebargofiant.

A WELAIS ac
a GLYWAIS (iv)

— Does neb gwacach
na'r sawl sy'n llawn ohono'i hun.

— Hael yw Hywel ar bwrs y wlad.

— Does gen i ddim amser i ruthro.

— Dos i dy wely, rho'r dillad dros dy ben
a deud bod hi'n nos.
(Ateb fy mam i anhwylder neu ddigalondid)

— Ffydd yw cred heb dystiolaeth.

Gair a Gweithred

DOEDD O FAWR o ddim byd, a dweud y gwir, ond fe wnaeth i mi gofio'r ddannoedd oedd i'w chael erstalwm. Yr enw ar y math gwaethaf oedd y "fannodd wyllt" ac nid oedd dim yn gwneud mistar ar honno, na dŵr nac asbrin na garlleg na hyd yn oed y clwtyn papur llwyd a finigr. Unwaith, pan y'm goddiweddwyd gan y ddannoedd wylltaf a gefais erioed doedd yna ddim amdani ond gorwedd yn y gwely, yng nghwmni'r papur llwyd a'r finigr, a rhoi fy sylw'n gyfan gwbl i'w phigiadau didrugaredd. Roedd hi'n ddiwrnod chwilboeth o haf gyda'r gwenyn yn suo'u cydymdeimlad drwy'r ffenestr agored. Ond doedd waeth iddyn nhw heb, nid oedd dim amdani ond mynd ar y bws i Gaernarfon at gefnder fy nhad, Tom Jones, neu Twm Di-boen ar lafar gwlad. Erbyn cyrraedd yno nid oedd gan y deintydd tirion ddigon o blwc i fynd i'r afael â'r daint rhag gwneud difrod i asgwrn yr ên. Ond wedi mynd gam neu ddau oddi yno a'r boen yn gwaethygu dedfryd fy nhad oedd, "Fe awn ni yn ein hola 'ta." Ac eisteddwyd yn y gadair drachefn. "Gwell i chi eistedd ar ei lin i roi nerth iddo," meddai'r gôt wen wrth fy nhad. Ac felly y bu nes bron ein codi ni'n dau yn glir o'r gadair cyn i'r daint, y boen a'r braw glecian eu ffordd i'r ddysgl fach.

Mae atgofion fel hyn yn gwneud i ddyn gofio englyn Trebor Mai i'r ddannoedd, ac yn enwedig y "fannodd wyllt":

Er cynnig ffisig ni ffy, – ofer llwnc,
　　Af i'r llofft, i'r gwely,
　　Af allan; caf hedd felly, –
O'r Tad! Af yn ôl i'r tŷ.

❧

MEDDWL YR OEDDWN na fu llawer o dadau gyda phedwar o feibion mor alluog ag a oedd gan Morris ap Rhisiart Morris o Fodafon y Glyn ym Môn. Y fo oedd tad Morrisiaid Môn, sef Lewis, Richard, William a John. Mynd i'r môr wnaeth John ac fe ddwed rhai ei fod cyn ddisgleiried â'i frodyr. Ond sôn am y tad yr oeddem. Wedi geni Lewis, aeth y teulu i fyw i'r Fferam ac yna yn 1707 symudasant i Bentre-eiriannell i ffermio, a'r tad yn dal ymlaen fel cylchwr. Pan fu farw gwraig y tŷ aeth ei hwyres, Margaret Owen (merch ei ferch Elin), a'i gŵr i fyw gydag ef. Gadawodd Morris ap Rhisiart Bentre-eiriannell yn 1761 i fyw mewn llety yn Llannerch-y-medd, lle bu farw ar Dachwedd 25, 1763.

❧

MEDDYLIAIS Y BUASWN yn dal ar y cyfle i gyflwyno hen briod-ddulliau'r Gymraeg i'r bychan pedair oed, a'i gymell i arafu dipyn trwy ddweud wrtho am ddal ei wynt. Ond roedd ganddo fwy o brofiad o'r hen fyd nag yr oeddwn wedi'i feddwl a chefais innau joch dda o wybodaeth am briod-ddulliau'r iaith Gymraeg pan ddywedodd, "Naci Taid. Dal dy ddŵr dach chi i fod i ddeud!"

🖎

FE AWN YMLAEN yn yr un ysbryd. Gwirebau ffwrdd â hi, doethinebau brys, gwirioneddau byrion, dywediadau bachog, diarhebion. Galwch chi nhw beth fynnoch chi, maent i gyd yn cosi, yn brathu neu'n cysuro. Weithiau mae un llinell yn ddigon a thro arall mae cwpled neu gyffyrddiad o gynghanedd neu odl yn gymorth i gael y neges adref. Dyma rai:

— I'r pant y rhed y dŵr.
— Gormod o bwdin dagith gi.
— Eira mân, eira mawr.
— Melys cwsg potes maip.
— Fe ddaw trai i bob llanw.
— Nid â bwyell mae canu crwth.
— Enw da yw'r trysor gorau.
— Amlwg llaid ar farch gwyn.
— Angel pen stryd a diawl pen pentan.

🖎

MAE YMA AMBELL LYFR fel *O'r Lôn i Fôn* yn dod i gategori'r "Yli hwn". A llyfr felly yw'r hunangofiant yma o waith y Parchedig Emlyn Richards.

Fwy nag unwaith fe ddaeth yr alwad i gydfwynhau detholyn o'r gyfrol, cyfrol wancus o afaelgar. Mae "Yli hwn" Magdalen yn wahanol i fy "Yli hwn" i wrth gwrs ond rhyngom ni ein dau y mae digon ohonynt yn y gyfrol hon. Nid af i ddifetha'r hwyl trwy roi ribidirês o bigion gwahoddus ond cyfyngaf fy hun i un "Yli hwn" neu ddau, y cefais i bleser mawr o'u darllen yng nghanol llu o ddeniadolaethau eraill mewn cyfrol sy'n darllen mor braf.

Fel arfer mae geiriau a'u hystyron yn tynnu fy sylw a chefais baragraff wrth fy modd yn y bennod sy'n rhoi hanes y gwas yn gweini ffarmwrs:

> Pan fyddwn yn torri i mewn i'r sgwrs, atebai Dafydd, 'Paid â brwela, 'rhen wesyn.' Mi fyddai'n dipyn o sarhad ar neb i gael ei alw'n benffast neu benci. Wrth ymwahanu ar sgwâr y pentref i fynd am y llofftydd stabl mi fyddai rhywun o'r criw yn siŵr o ddweud, 'Dowch am y cithwal, bois, mi ddaw'n amser codi ar slap.' (lle bach clyd ydi cithwal). Ar noson olau leuad llawn, y disgrifiad fyddai, 'mae'r lleuad yn cneitio'. Sarhad hefyd fyddai gofyn i neb ar fore Sul, 'Pwy oedd y sgryfinllan yna oedd efo chdi tua'r dref yna neithiwr?' Dyna nhw – sypyn bach o hen eiriau anghofiedig Pen Llŷn.

FE DDYWEDIR fod gwin da i'w gael yn aml mewn hen botel. Mae'r un peth yn wir am boteli llenyddol ac fe welais enghraifft o hynny mewn cyfarwyddyd a roddwyd ar glawr yn llenyddiaeth hynafol yr Aifft:

> Paid â bod yn rhy awdurdodol wrth dy wraig yn ei thŷ ei hun a thithau'n gwybod yn iawn pa mor effeithlon ydyw.

> Paid â dweud wrthi, "Lle mae'r peth a'r peth? Tyrd â fo yma," a hithau wedi rhoi beth bynnag ydi o yn y lle mae o i fod.

> Gwylia hi mewn edmygedd a chau dy geg yn dynn fel y gelli sicrhau ei gweithgarwch.

> Pan fydd ei llaw yn dy law di, dyna yw hapusrwydd.

Pan fo dyn yn perarogli'n hyfryd mae ei wraig fel cath fach o'i flaen.

Pan fo dyn yn debyg o gael ei frifo mae ei wraig fel llewes y tu ôl iddo.

✍

YN FLYNYDDOL daw Eisteddfodau'r Urdd a gwelir y plant a'r bobl ifanc wrthi fel lladd nadroedd yn canu ac adrodd, dawnsio a dyfeisio. Welaf i ddim byd o'i le ar yr hen derm "adrodd" a chanrif yn ôl roedd yna gryn nifer o lyfrau i'ch goleuo ar hanfodion y gelfyddyd honno. Un ohonynt oedd *Ysgol yr Adroddwr* gan J. Gwrhyd Lewis o Donyrefail. Yn y llyfr hwn fe eir yn fanwl dros swyddogaeth y llengig, yr ysgyfaint, y pibau gwynt, y corn gwddf, y beudag (*larynx*) a'r cordiau lleisiol yn y gwaith o gynhyrchu'r llais. Ymysg nifer fawr o gyfarwyddiadau eraill fe geir y sylwadau hyn ar y modd gorau i ynganu geiriau'n hollol glir:

> Pan deimlir anhawster i seinio unrhyw lythyren dylid arfer dweud y llythrennau hynny hyd nes deuant yn rhwydd a naturiol. Ceir mewn gwahanol lyfrau o eiddo'r Saeson ar areithyddiaeth resi hirfaith o *exercises* i ddynion fynd trwyddynt bob dydd nes eu llwyr feistroli. I rai a deimlant anhawster gyda'r 'ch', nid anfuddiol fyddai mynych adrodd yr englyn hwn o eiddo'r diweddar Barchedig D. Saunders, Merthyr:

> > Chwychwi â'ch âch o'ch achau – o chewch chwi
> > O'ch uwch-uwch achychau,
> > Ewch, ewch, iachewch eich ochau,
> > Iach wychach ewch o'ch iachâu.

A CHAN EIN BOD wedi sôn am ieithoedd, eu hoed, eu parhad, eu defnydd a'u hyfrydwch fe hoffwn i sôn am un nodwedd o'r iaith Gymraeg. Fe fyddaf wrth fy modd yn darllen neu'n gwrando ar rywun yn defnyddio lluosog rhai o'n hansoddeiriau, yn gymaint felly fel ag i mi eich pledu â rhestr hir ohonynt! Maent yn disgyn yn ddeniadol ar y glust ond bellach rhaid troi i'r llyfr emynau am ambell un. Mae rhin arbennig mewn geiriau fel arian neu gregyn gleision, Cerrig Duon, gwlad y menyg gwynion, dynion cryfion, cewri cedyrn, Lleiniau Llwydion, blodau gwylltion, gemau tlysion, arian sychion, dannedd gwynion, lonydd culion, dyfroedd dyfnion, gwyntoedd croesion, moroedd mawrion, creigiau geirwon, crysau cochion, dagrau heilltion, peli crynion, dillad gwlybion a llawer iawn mwy wrth gwrs.

MAE'N DEBYG fod rhai ohonom wedi gorfod meddwl ddwywaith cyn dyblu'r llythyren *n* a'r llythyren *r* o dro i dro. Gofynnodd rhywun i Syr Thomas Parry beth oedd y cynllun gorau i ddod dros yr anhawster ac meddai Syr Thomas, "Wel, eu cofio nhw 'te." Ond efallai mai'r cynllun ail orau oedd ffordd Siân Lloyd Williams, yr awdures. Fe fyddai hi yn rhoi rhes o'r llythyren *n* a rhes o'r llythyren *r* ar waelod ei llythyr gyda'r cyfarwyddyd, "Helpwch y'ch hun."

YR OEDD YR Arglwydd Berkeley bob amser yn dal allan nad oedd cywilydd mewn ildio i fwy na dau wrthwynebwr ond mynnai na fuasai o byth yn cael ei drechu gan un lleidr pen ffordd. Un noson, pan oedd yn teithio yn ei gerbyd o'i gastell i Lundain fe ddaeth wyneb yn wyneb â lleidr pen ffordd. Rhoddodd hwnnw ei ben i mewn trwy ffenestr y goits a dweud:

"Yr Arglwydd Berkeley dach chi?"

"Ie, ddyn."

"Y chi sy wedi dweud na fuasech chi byth yn cael eich trechu gan un lleidr pen ffordd?"

"Ie," meddai Berkeley.

"Wel," meddai'r lleidr gan dynnu ei bistol allan, "un lleidr ydw i ac felly dy arian am dy einioes."

Ac meddai Berkeley, "Y llwfrgi gwirion, wyt ti'n meddwl nad wyf yn gweld dy bartnar yn llercian y tu ôl i ti."

Fel y digwyddai yr oedd y lleidr ar ei ben ei hun ond trodd i edrych yn ôl ac fe'i saethwyd yn ei ben gan Berkeley.

MAE'R MAMAU'N cael mwy a mwy o'u haeddiant, mi obeithiaf, ac ar Ddydd y Mamau gwelid amryw o blant, o bob oed, yn manteisio ar y cyfle i ddangos eu diolchgarwch trwy fynd â hwy "allan am damaid o ginio". Fe ailosodaf y pennill yma er parch â phob mam:

> Arwain di dy fam yn dyner
> I lawr y grisiau serth,
> Gynt fe roes ei braich i'th gynnal,
> Heddiw ti yw'r nerth;
> Gweli ar ei hwyneb serchog
> Rychau dyfnion gofal mam,
> Cofia mai ei gofal drosot
> Roes y pryder yn ei cham.

Mae'r Rhufeiniaid hefo ni o hyd ac fe welir eu hôl ar dir Bryn Eryr, Llansadwrn ac yng Nghaergybi. Fel y byddai fy nhad yng nghyfraith yn dweud, "The Romans gave us art, architecture, law and religion." Mae'n debyg iddynt ychwanegu a chaboli llawer ar y rheini ond roedd gan y Celtiaid grap go dda ar gelfyddyd, hefyd, yn ôl y gwaith metal a adawsant yn drysor i ni.

Ond rhaid cofio cyfraniad y Rhufeiniad i'n hiaith, yn enwedig mewn pensaernïaeth – geiriau fel pont, castell, ffos a stryd a llawer mwy. Mae'n debyg nad oedd benthyca'r termau Lladin yn mynd i lawr yn dda hefo'r purwyr yr adeg honno chwaith ond roedd yn dda iawn cael enwau ar ddrecs ceffyl, strodur (*stratura*) a chengl (*cingula* – rhwymyn).

Ac wrth hel meddyliau am yr iaith Ladin fe gofiwn mai rhyw gyfieithiad go wamal a roddem ni i "Sic transit gloria mundi", sef "Gloria is sick when she travels". Ymhell oddi wrthym ni ar y pryd fyddai'r cyfieithiad cywir urddasol, "Felly y diflanna gogoniant y byd hwn." Am ryw reswm gwna hynny i mi feddwl am hwylustod iaith arall i ddyn glo nid anenwog. Yr oedd yn cael trafferth i gael gwraig tŷ i benderfynu sut yr hoffai gael y glo ganddo y diwrnod hwnnw. O'r diwedd dyma ddweud, "Wel rŵan 'ta Misus, sut 'dach chi isio fo, *a la carte* 'ta *coal de sac*?" Yn ôl pob clywsit y fo ddywedodd wrth yr ymwelydd hwnnw, "Os wyt ti eisiau gweld dyn gwirion yn Sir Fôn bydd rhaid i ti ddod ag un hefo chdi."

Y MAE GEIRIAU yn mynd â ni i leoedd rhyfedd a diddorol weithiau. Unwaith fe gefais gyngor i gymryd tabled bob dydd ac yn lle eu llyncu yr oeddwn i'w gosod dan y foch ac yng nghornel uchaf taflod fy ngheg, a'i gadael yno i doddi. Disgrifir y math yma o dabled fel un *buccal*.

Cyn hir deuthum ar draws yr enw mewn cyswllt arall a hynny yn yr Hen Destament. Bucci oedd enw un o archoffeiriadon Israel dros fil o flynyddoedd Cyn Crist a Bucci hefyd oedd enw un o dywysogion llwyth Dan. Enw un o gerddorion y deml tua'r un cyfnod oedd Bucciah. Ystyr yr enw yn y cyswllt yma oedd "Genau yr Arglwydd" ac yr oedd hwnnw yn eitha enw ar broffwyd.

Rhaid wedyn oedd mynd i chwilio yn y geiriadur Lladin ac ystyr *bwcci* yn y fan honno yw ceg neu foch – yr union le yr oeddwn i osod y dabled wrth gwrs.

YN YSGOL RAMADEG Llangefni erstalwn Amerigo Vespucci gâi'r clod am enwi cyfandiroedd America. Erbyn heddiw yr ydym yn gwybod yn well – gobeithio! Yn ôl pob ymchwil diweddar, Cymro o'r enw Richard Ap Meurig (Meyrick neu Ameryk) oedd yn gyfrifol am enwi'r cyfandiroedd.

Un o farsiandïwyr Bryste oedd Richard ap Meurig. Tua 1470 fe ddaeth Meurig i adnabod John Cabot. Ymhen rhai blynyddoedd gan fod pysgota penfras yn ffynhonnell cryn gyfoeth fe gefnogodd Meurig anturiaethau Cabot i bysgodfeydd y penfras ym Môr yr Iwerydd. Yr oedd gan Cabot ddigon i'w ddweud drosto'i hun a thros bawb arall yn ei gais am arian ac fe addawodd dunelli o'r penfras a phentwr o aur i Richard Meurig am ei gefnogaeth, ac yn ogystal fe fyddai'n enwi gwledydd newydd y gorllewin ar ôl Meurig.

Fe ddefnyddiwyd yr enw America gan ddinas Bryste yn 1497, ddeng mlynedd cyn i'r enw gael ei fabwysiadu gan weddill y byd, a 1497 oedd y flwyddyn pan ddarganfyddodd John Cabot dir mawr America dan anogaeth Harri Tudur (Harri'r Seithfed), un o deulu Plas Penmynydd.

ERBYN HYN mae yna fynd mawr ar siampŵ gyda rhes ar res o foteli ohono gydag enwau fel Head and Shoulders, Tressene a Silvikrin yn cystadlu â'i gilydd i gael ymadael â phob llwchyn o fardon o wallt pawb. Ond beth yw ystyr y gair *siampŵ*? Pan fentrodd y dyn gwyn i'r India ganrifoedd yn ôl bellach yr oedd gan gyfoethogion y wlad honno weision arbennig i dylino eu cyrff cyn gynted ag yr oeddynt wedi camu o'u baddonau. Defnyddiai'r gweision eu migyrnau i ddod â'r croen a'r cymalau i'w llawn ystwythder. Yr enw am y math yma o driniaeth oedd *shampoo*, *shampo* neu *shampŵ*, gair Hindi yn golygu gwasgu. A chyda dawn y Saesneg i fenthyca mwy o eiriau nag unrhyw iaith arall, yn fuan iawn fe ddaeth y gair i Brydain gan newid ei ystyr i'r broses o olchi gwallt neu ddefnyddio sebon neu hylif arbennig yn dwyn yr un enw – siampŵ.

A DDAW YNA ADLAIS o'r gorffennol trwy enau plant bychain? Prin ddechrau siarad oedd un o'r meibion yma pan ddywedodd, yn glir fel cloch, un bore, "Rydan ni'n cael trafferth hefo'r plant yma, Mrs Morgans." Dyna un o ddyfyniadau hwyliog ei dad-cu, tad-cu na welodd Rhys erioed mohono. Buom yn dyfalu llawer ar sut ac o ble y daeth y dywediad i'r fei y bore hwnnw, ac fe erys yn ddirgelwch.

Newydd ddechrau rhoi geiriau hefo'i gilydd yr oedd aelod arall o'r teulu pan ddywedodd, fel hen ddyn, "Ylwch dad yn cofftio te." Yr oedd y gair yn brin yr adeg honno, dros ddeng mlynedd a thrigain yn ôl ac yn llawer prinnach erbyn heddiw. Fe ddaeth y gair *cofftio* o'r gair Saesneg *quaff* am draflyncu neu fwyta neu yfed yn anghymedrol. Rhyfedd o fyd. Fel y byddai fy mam yn dweud, "Tydi geiriau ddim yn mynd i'r ddaear."

✑

MAE GENNYM GYMDOGION yn dod draw hinon haf o Newcastle-under-Lyme. Enw afon yw Lyme a chofiaf ddarllen yn rhywle mai gair Cymraeg yw Lyme yn ei hanfod a dyma fynd i ail chwilio. Fe ymddengys nad oes neb yn siŵr iawn o'i betha ac y mae yna ddau wahanol eglurhad yn yr un llyfr, a'r llyfr hwnnw'n hawlio nawddogaeth Oxford. Mewn un lle fe ddywedir ei fod yn tarddu o'r gair *llif* ac yn y llall ei fod yn hanu o'r gair Cymraeg am *elm*, sef llwyf neu llwyfen. Fe gewch chi ddewis!

✑

FE'M GANED YN Y GLOL, ym mhentref Trelogan, Sir y Fflint. A dweud y gwir doedd gen i fawr o syniad beth oedd ystyr y gair *glol*, a hyd y gwelwn i doedd Geiriadur Prifysgol Cymru fawr o gymorth y tro hwn chwaith. Ond yn ddiweddar bûm yn pori yn y llyfr *Brithgofion*, gan T. Gwynn Jones, a gyhoeddodd Llyfrau'r Dryw yn 1944. Dyma'r hyn a ddarllenais ac a groesawais y diwrnod hwnnw:

Felly, gwrandewais ar yr ymddiddan rhwng y ddau, gan gymryd arnaf wylio'r adar to oedd yn ffraeo â glas bach y wal yn y domen gerllaw. Adroddodd y prydydd ei englyn, ac fe arhosodd y ddwy linell olaf ohono yn fy nghof hyd heddiw. Dyma nhw:

> Gwir enwog gadair anian
> Yw glol y mynydd glân.

Nid oeddwn yn gwybod beth oedd ystyr *glol*. Ond yr oedd tyddyn heb fod ymhell a elwid Pen y Glol, a meddyliais mai copa bryn neu fynydd oedd *glol*. Yna daeth Magdalen â chae rygbi Castell-nedd i'r sgwrs, "The Gnoll". Ac nid yw hwnnw yn y geiriadur Saesneg chwaith, hyd yn oed yn yr OXFORD mawr! Ond fe ddaliaf i gredu mai bryn ydyw – ella!

⤔

MAE'N DEBYG i mi grybwyll o'r blaen fel y brysiai fy nhad adref pan fyddai un o sgyrsiau Syr Ifor Williams ar y radio. Mae'n debyg fod hynny oherwydd i'r ddau fod yn ffrindiau pan oedd fy nhad yn aros hefo'i daid yn Llandygái.

Pan oedd Syr Ifor yn ddarlithydd yn y Brifysgol ac yna'n bennaeth yr Adran Gymraeg yr oedd yn byw yn y Borth, rhwng Pont Menai a'r sgwâr.

Mae yna stori amdano yn derbyn gradd Doethor mewn Llenyddiaeth a bachgen bach o'r Borth yn gofyn i'w fam, "Mam, os ydi o'n ddoctor fydd o'n gallu mendio pobol sâl?" "Na fydd," meddai ei fam. "Doctor llyfra ydi o, dyn yn trin llyfra a phetha felly."

Cofiodd y bychan am ei gopi o *Llyfr Mawr y Plant* ac aeth ar ei union i gartref Syr Ifor a dweud, "Ma' mam yn deud mai Doctor llyfra ydach chi, wnewch chi drwsio *Llyfr Mawr y Plant* i mi?" Yr oedd Syr Ifor wedi cael modd i fyw, cymerodd y llyfr a gofalu ei fod yn cael ei ailrwymo'n gywrain.

MAE PAWB YN COFIO mai Hedd Wyn enillodd y Gadair Ddu yn Eisteddfod Genedlaethol Penbedw 1917 ond nid pawb sy'n gwybod mai'r Parchedig T. Mardy Rees o Gastell-nedd enillodd ar y traethawd "Hiwmor mewn Llenyddiaeth Gymraeg" yn yr eisteddfod honno. Yn ei draethawd mae'n cynnwys gwaith William Williams, Pantycelyn a Syr John Morris-Jones. Yr oedd Pantycelyn yn ysgrifennu pennill adref yn ystod un o'i fynych deithiau:

> Hed y gwcw, hed yn fuan,
> Hed aderyn glas ei liw,
> Hed oddi yma i Bantycelyn,
> Dwed wrth Mali mod i'n fyw.
> Hed oddi yno i Lanfair Muallt,
> Dwed wrth Jack am gadw'i le;
> Os na chawn gwrddyd ar y ddaear
> Dwed cawn gwrddyd yn y ne'.

A chaech chi ddim gwell bargen na'r fargen a gafwyd yn englyn Syr John Morris-Jones:

> Moes gusan mwynlan i mi, – ac ar hyn
>   Rhag i'r rhodd dy dlodi,
>   Cei gan cusan amdani –
>   Dyna dâl am dy un di!

Mewn llyfryn o'r enw *Dafnau Gwlith*, blodeugerdd o adroddiadau a olygwyd gan Gwilym Cynlais yn 1933, fe ddeuthum ar draws darn o bapur ac arno linellau tebyg i nodiadau pregeth, a dyma nhw:

Aeth dyn o Ddolgellau i Awstralia a chafodd waith yn y gweithfeydd aur. Wedi sylwi ar yr aur yn llechu yn y graig a'r meini, dywedodd os mai aur oedd hwnnw, fod digonedd ohono yn y cloddiau o gwmpas ei gartref os nad ar garreg ei aelwyd. Clywodd rhywun y sylw a mynd drosodd i'r hen wlad â'i wynt yn ei ddwrn a chael bod sylw'r bachgen yn wir! A dyna gychwyn gwaith aur Gwynfynydd.

Yn ei lyfr *Spoken Here* mae Mark Abley yn teithio trwy'r ieithoedd sydd dan fygythiad y dwthwn hwn. Fe siaredir chwe mil o ieithoedd yn y byd heddiw ond ymhen canrif fe fydd eu hanner wedi diflannu am byth. Go brin felly y bydd yna neb i ysgrifennu na darllen geiriau fel hyn yn yr iaith hon. Dim ond chwe chant o ieithoedd sydd yna y tybir eu bod ar dir diogel. Bydd y gweddill wedi distewi yn nadwrdd cynyddol y Sbaeneg, y Sieinaeg a'r Saesneg. Pa wahaniaeth? Oni ddylem ddathlu'r dydd pan fydd pobl yn gallu sgwrsio'n rhydd a dilyffethair hefo'i gilydd? Dim o'r fath beth, meddai Mark Abley. Buasai hynny'n lleihau ystod diwylliant y byd. Nid offeryn yn unig yw iaith ond endid ffurfiannol ynddi ei hun, un sy'n "siapio" golwg ei defnyddwyr ar y byd a'i bethau. Mae i bob iaith ei gweledigaeth wahanol ei hun. Mae colli un iaith fel bomio Llyfrgell Genedlaethol gyfan.

Mae Mark Abley yn ein hatgoffa nad cerddoriaeth na'r celfyddydau cain na phensaernïaeth na'r gallu i gyrraedd planedau eraill yw prif gyraeddiadau dyn ar y ddaear. Yn hytrach ei brif orchest yw ei ddefnydd o sŵn a syniadau llafar i rannu profiadau ac i gyfleu peth o gymhlethdod rhyfeddol y byd o'i gwmpas.

A choded pob calon. Ar ddiwedd ei sylwadau dwed Mark Abley, er bod y Gymraeg wedi dirywio dros gyfnod hir, ei bod erbyn hyn yn amddiffyn ei hun yn arwrol ac egnïol a bod nifer ei siaradwyr ar gynnydd unwaith eto. Mae amddiffyn iaith yn achos o'r pwys mwyaf, medda fo, ac fe ddylid bwrw iddi gyda llawn cymaint o sêl ac o arddeliad ag a wneir i amddiffyn planhigion ac anifeiliaid y ddaear. A phwy wnaiff hynny os na wnawn ni?

✍

Efallai y gellid meddwl bod y strytyn canlynol yn rhy bersonol i'w gynnwys ond waeth heb na gadael i ryw deimladau felly filwrio yn erbyn cydnabod darn o ryddiaith hynod o wreiddiol. Sôn am gynyrfiadau cyntaf ei chyfrol *Ebra Nhw* (geiriau'r iaith lafar) yr oedd y diweddar Siân Lloyd Williams ac fe rydd fwy o gydnabyddiaeth na'r haeddiant i'w hedmygydd yn y cyflwyniad a ysgrifennodd ar ei gopi, yn ei hysgrifen fawr, trwm, pendant:

> Aeth y Nhw yma dros ben llestri a meddiannu'r tŷ. Daeth Dewi i mewn a gwaeddodd TREFN! ac yn wir wirionedd innau i chi teimlais fod pob *one* Jac ohonynt, a finna' hefo nhw, wedi ista a *fold arms*. Sut y bu i hyn ddigwydd? Fel hyn yn union i chi, – A am Afal; B am Banana, a daeth hyn â nhw at eu coed ac mi wnes inna' fflonsio drwydda'. Diolch filoedd, ebra fi, Siân.

Rhyw rigwm digon gwamal fu'r limrig erioed a'r union beth i ysgafnhau Talwrn neu Ymryson y Beirdd, boed mewn eisteddfod neu Ford Gron. Fe'u caed gyntaf mewn dau lyfr yn 1820 ond fe fu rhaid disgwyl cryn amser am yr enw nes i bobl ychwanegu cytgan i ddilyn pob pennill, "We'll all come up, come up to Limerick." Ond gŵr o'r enw Edward Lear (1812-1888) a'u poblogeiddiodd yn ei *Book of Nonsense*, cyfrol a ysgrifennodd i ddiddanu plant ei noddwr, Iarll Derby.

A WELAIS ac a GLYWAIS (v)

— Mae'n hwyr, dwi am fynd i'r nyth gwyn. (R.J.)

— Dyn ydyw o sy'n gwybod pris popeth
a gwerth dim byd.

— Calla' dewi.

— Hylla'n crud, dela'n y byd.

Ar Gof a Chadw

BÛM YN DARLLEN ysgrif ddiddorol Tudur Huws Jones yn *Yr Herald Cymraeg* yn adrodd hanes saethu'r heddwas Robert Pritchard ar fferm Cemaes yng Ngwalchmai fis Tachwedd 1924. Brodor o Sir Fflint oedd Robert Pritchard, ond gyda chysylltiadau teuluol â Llaneilian, a thebyg yw ei fod, fel plismyn eraill y cyfnod, yn lletya yng Nghae Merddyn, Ty'n-y-gongl. Fodd bynnag fe gyfarfu ag Ann Jones, Minffordd, led cae i ffwrdd, a phriododd y ddau gan symud o bentref i bentref ym Môn tra cyflawnai Robert Pritchard ei ddyletswyddau. Cyflawni ei ddyletswydd yr ydoedd pan saethwyd ef gan y tyddynnwr yng Ngwalchmai. Mae'n debyg petai'r anfadwaith wedi digwydd heddiw na fuasai'r ergyd wedi bod yn un angheuol. Ond bu'r oedi, y cerdded i'r pentref at feddyg oedd ddim ar gael, a theithio mewn car i Fangor yn ormod iddo a bu farw mewn ychydig ddyddiau gan adael gweddw ac wyth o blant: Bob, a fu'n heddwas yn Lerpwl, Madge, Jeannie, Lena, Glyn, Elsie, Luned a Wil. Fe ddywedir fod Madge a Jeannie yn nyrsio yn Lerpwl ac iddynt ddod adref ar frys pan glywsant fod eu tad wedi ei anafu. Yng ngorsaf Bangor deallasant eu bod wedi colli eu tad pan welsant gyhoeddiad yn dweud fod y cwnstabl Robert Pritchard wedi marw. Bu'r weddw, Ann Pritchard, a'i theulu yn byw ym Mryn Glas, Marian-glas am gyfnod

93

wedi iddi golli ei gŵr a bu farw Ann Ellen Jones (Lena), yr olaf o'r plant, yng Nghapel Coch yn 2017, yn 104 oed.

$\mathcal{\wp}$

PAN OEDDWN yn hogyn fe fyddwn wrth fy modd yn "cael mynd yn y drol" gan sefyll ar y pen blaen, y tu ôl i'r gaseg. Weithiau fe gawn eistedd ar y styllen oedd uwchben y llorpiau, y styllen fyddai'n cadw dillad y troliwr rhag y baw a deflid i fyny o garnau'r gaseg. Yno yr eisteddwn gyda'm traed yn hongian uwchben y frân, y darn haearn tyllog hwnnw oedd yn rheoli mowntiad y drol. Y styllen rech oedd yr enw a roddid ar y styllen honno fyddai'n gwarchod trwmbal y drol. Fe'i ceid mewn wagonét, mewn trap ac mewn coits fawr. Yn ddiweddar fe welais mai'r enw Saesneg ar y styllen honno oedd *dashboard* a bod yr enw wedi goroesi i'r byd modern trwy gael ei ddefnyddio am y silff hir sydd yn dal yr holl glociau yna o flaen y gyrrwr mewn car, ac o flaen y peilot mewn awyren hefyd. Mae'n debyg nad oes le i synnu na ddaeth yr enw Cymraeg yn boblogaidd yn ein hoes ni – erbyn meddwl ni fuasai'r styllen rech yn cymryd ei lle yn boléit iawn mewn na Rolls Royce, Vectra na Jumbo Jet.

$\mathcal{\wp}$

COLLASOM FEDDYG DIWYD oedd yn ddigyffelyb yn ein cymdeithas. Yr oedd gen i, ac y mae gen i, feddwl mawr o'r diweddar Ddoctor John Hughes, Llangefni a digon o resymau dros deimlo felly. Da y cofiaf i gyfaill awgrymu fy mod yn cysylltu ag un o feddygon Harley Street, Llundain ac fe grybwyllais hynny wrth Doctor Hughes. "Lle mae dy ffôn di?" gofynnodd, ac fe'i cafodd y munud hwnw.

Chlywais i erioed sgwrs debyg i honno ac y mae'n debyg i Harley Street gael rhyw gymaint o sgytiad pleserus hefyd. Y diwedd oedd fy mod yn paratoi i fynd i Lundain cyn gynted ag oedd modd i gael gwneud yr hyn oedd angen ei wneud. Y mae fy nyled yn fawr i Dr. Hughes yn Llangefni ac i Mr Cook yn Llundain. Erbyn gweld (!), tair wythnos oedd gen i cyn mynd yn hollol ddall.

A phwy all anghofio ei alwad cynnes yn ei feddygfa, "Nesa i Rŵm Dop plis." A fedra innau ddim anghofio'r pleser a gefais o dderbyn gwahoddiad i ysgrifennu penillion adeg ei ymddeoliad:

> Beth wnawn ni hebddo fo, deudwch?
> Beth wnawn ni hebddo ym Môn?
> Pan oedd rhywun yn sâl yn ei wely
> Doedd isio ond codi'r ffôn;
> Fe ddeuai tan fwmian canu
> A dod ar ei union i'r tŷ
> Ac o hynny 'mlaen nid oedd pethau
> Yn edrach hannar mor ddu.

> Beth wnawn ni hebddo fo, deudwch,
> Pan fydd yr hen gorffyn dan glais?
> Pan f'ai dyn ar ei fwya digalon
> Roedd 'na r'wbath yn sŵn ei lais;
> Rhaid mynd yn o bell i gael gafa'l
> Ar ddoctor fu'n ddigon o ddyn
> I ofyn am farn rhywun arall
> Os na wyddai i sicrwydd ei hun.

> Beth wnawn ni hebddo fo, deudwch?
> Mae'n haeddu pob tama'd o glod,
> Anamal iawn oedd o'n methu
> Â'ch mendio os oedd mendio i fod:

Ar wahân i'w allu fel meddyg,
Ei graffter, ei brofiad a'i ddawn,
Yr oedd yn ddiguro am alw
I weld a oedd popeth yn iawn.

Beth wnawn ni hebddo fo, deudwch,
Berfadd nos neu ben bora gwyn?
Mi glywsom ei fod wedi galw
Ar fore Nadolig cyn hyn;
Roedd o'n ffrind i ni hefyd, on'd oedd o?
Er iddo wamalu mor rhwydd,
O dan y gwamalu roedd rhuddin,
Dynoliaeth yn gryfach na swydd.

Beth wnawn ni hebddo fo, deudwch?
Mor ddoniol â phawb yn ei dro,
Chwith meddwl na alwith 'rhen gloch 'na
Y nesa i Rŵm Dop ato fo:
Fe welwn ei golli'n drybeilig
Pan fydd o'n ymlacio'n y Fron,
Beth bynnag am hynny, pob bendith
A'n diolch i gyd. Doctor John.

CAWSOM LYTHYR gan ffrind yng Nghaergaint oedd wedi colli ei gŵr. Yn ei llythyr y mae'n dyfynnu'r geiriau a roddwyd ar faen i gofio amdano:

Yn nhywyllwch dwys y nos fe safem ar y bryn yn gwylio seren yn ei holl brydferthwch digynnwrf pell. Meddai fy nghydymaith, "Nid y seren acw a weli mewn gwirionedd ond y goleuni a anfonodd lawer blwyddyn yn ôl."

Tebyg yw dyn da i'r seren honno yn y ffurfafen

ddiamser. Fe ddisgleiria'n aur ysblennydd ymhell ar ôl i'w flynyddoedd ar y ddaear ddod i ben.

✑

NADOLIG YW'R ADEG i gysylltu â pherthnasau a chyfeillion. Cawsom lythyr gan berthynas sydd wedi dod trwy'r felin ond, trwy drugaredd, wedi goroesi'n holliach. Yn ei lythyr mae'n dyfynnu salm a roddodd, ac a rydd, gysur mawr iddo:

> Gwyn ei fyd pob un sy'n ofni'r Arglwydd
> Ac yn rhodio yn ei ffyrdd.
> Cei fwyta o ffrwyth dy lafur;
> Byddi'n hapus ac yn wyn dy fyd.
> Bydd dy wraig yng nghanol dy dŷ fel gwinwydden
> ffyddlon
> A'th blant o amgylch dy fwrdd fel blagur olewydden.
> Wele, fel hyn y bendithir y gŵr sy'n ofni'r Arglwydd.
> Bydded i'r Arglwydd dy fendithio o Seion,
> I ti gael gweld llwyddiant Jerwsalem
> Holl ddyddiau dy fywyd
> Ac i ti gael gweld plant dy blant.

✑

MAE GENNYM i gyd feddwl y byd o'r iaith Gymraeg ond nid pawb sydd yn fodlon ymdrechu mor deg er ei mwyn fel, yn ôl ei gyffesiad ei hun, y gwnaeth John Evans, yr Archfardd Cocosaidd Tywysogol, prydydd a gladdwyd ar y chwith i ddrws eglwys Llantysilio, bron yng nghysgod yr eglwys. Fel hyn y dywedodd y Bardd Cocos:

> Mi fûm mewn llafur mawr yn codi'r iaith Gymraeg i fyny. Mae'n debyg mai yn yr oes nesaf y byddant yn

dallt y rhan fwyaf o'm gwaith, pan fyddaf yn pydru yn y ddaear, wedi mynd i orffwyso oddi wrth fy ngwaith. Fe'm ganwyd ac fe'm magwyd ym Mhorthaethwy. Mae'r oes wedi mynd ar galop gyda'r gerddoriaeth newydd, sŵn tôn a dim geiriau, hwyrdrwm a difywyd.

Buasai'r bardd yn hynod falch o wybod fod ei waith wedi goroesi cystal a dyma un o fy hoff gerddi, yn ei holl wirionedd tyngedfennol!

> Hen ŵr oedd fy nhad yn byw yn y Borth
> Yn gyrru cwch i'r dŵr i mi a mam gael torth;
> Ond heno mae o'n huno'n hynod
> Gyda'r graean a'r cacynod.
> Afiechyd oedd ei waeledd
> A marw wnaeth o'r diwedd,
> Pridd ar ei draws a phridd ar ei hyd
> A dyna lle bydd o tan ddiwedd y byd.

Os OES UNRHYW BETH yr hoffwn gael mwy ohono, y cof ydi hwnnw! Byddaf yn ei gweld hi'n braf iawn ar y rhai sy'n meddu cof da, rhai nad oes raid iddynt oedi o gwbl cyn cofio rhyw enw neu air. Flynyddoedd yn ôl cefais gais i lunio gweddi fechan ar gyfer plant Ysgol Llanedwen cyn iddynt droi am adref, neu fel y dywedodd y Gŵr o Baradwys, "Cyn i bawb ruthro am ei gap ac adra." Fe luniwyd y weddi a'i hanfon, yna colli'r papur mae'n debyg a'i hanghofio. Ond nid pawb sy'n anghofio ac y mae'r athrawes, Mrs Alwena Owen, Rhos-meirch yn cofio pob gair ac mewn edmygedd o'i chof rwyf am gynnwys y weddi yma:

GWEDDI DIWEDYDD

O Iesu, wrth noswylio
'Rôl diwrnod da o waith,
Diolchwn am gael dysgu
Elfennau rhif ac iaith;
Diolch i ti am deulu,
Ffrindiau sy'n werth y byd,
Am gartref i fynd iddo,
Am fwyd a gwely clyd.

PAHAM Y GALWYD un o bontydd y Fenai yn Bont Britannia? Ac wedi elwch tawelwch fu, hyd y daeth llythyr derbyniol iawn gan Ann Wyn Jones o'r Wern yn y Talwrn. Mae hi'n dyfynnu o erthyglau y diweddar Gwyn Pari Huws a John Lasarus Williams. Swm a sylwedd eu sylwadau ydyw dangos fod y bont wedi ei henwi'n Bont Britannia yn dilyn talp o anwybodaeth a chlamp o gamgymeriad. Yr enw Cymraeg ar y graig lle saif un o dyrau'r bont yw Carreg Frydan, yr un enw ag a welir mewn nodyn gan Lewis Morris yn 1748. Fe ddaw o'r gair *brwd* yn golygu dwys, grymus, nerthol, aruthrol, angerddol. Dyna ddisgrifiad rhagorol o'r graig gan fod y llanw, ac ar y trai yn arbennig, yn ffrydio'n gryf amdani. A chan fod y Saesneg tu clyta i'r clawdd gennym bron bob amser fe aeth Frydan yn Frydain ac o hynny yn Brydain, Britain a Britannia. Ac, fel arfer, mae'n debyg ei bod yn rhy hwyr i wneud dim yn ei gylch o rŵan. O air i air, o enw i enw ac o lech i lwyn, fe gollwn ein hetifeddiaeth.

FE DDAW CHWECH neu saith o wahanol bapurau bro dros y trothwy yma, bob un ohonynt â'i rinweddau gwerthfawr a blasus ei hun. Yn *Y Glannau*, papur bro fy ardal enedigol yn Swydd y Fflint, byddaf yn anelu at yr hyn fydd gan Aled Jones i'w ddweud, am darddiad geiriau a'u hystyron fel arfer. Efallai y caf faddeuant am godi un darn blasus o'i waith yn ei grynswth:

> Cymerai Caradog o Lancarfan (yn ei bethau yn 1135) ddiddordeb cynnes yn Abaty Glastonbury a'r Caradog hwn a fathodd yr enw Cymraeg ar y lle, sef Ynys Wydrin. Ond fe wnaeth gamgymeriad go enbyd trwy gymryd yn ganiataol mai glass (gwydr) oedd elfen gyntaf yr enw. Daw gwydr o'r Lladin vitrum, ac o hwn hefyd y cafwyd vitreous yn Saesneg. Ond mae vitrum hefyd yn golygu glas. Y glaearllys, planhigyn melynlliw ei flodau y tynnir math o liw glas o'i dail, – glesin, sef woad. A hwn oedd yn tyfu gynt yn Glastonbury a hefyd yng Nglasinfryn ger Bangor.

Ac efallai bod trigolion Glasinfryn yn Llanbedr-goch yn paentio eu hunain yn las gyda glesin cyn mynd i ryfel yn erbyn y Rhufeiniaid!

MAE ALLEN FOSTER wedi cyhoeddi llyfr yn llawn o hynodion y bywyd Cymreig a bu detholiad ohonynt yn y *Western Mail*. Dyma ddwy neu dair o'r rhai a dynnodd fy sylw:

> Mae yna garreg fedd yng Nghonwy neu'r cyffiniau yn cofnodi marwolaeth gŵr o'r enw Nicholas Hookes a fu farw yn 1637. Yr oedd yn fab i wraig o'r enw Elizabeth Hookes a roes enedigaeth i un a deugain o blant.

Ym mis Chwefror 1843 fe dynnodd y meddygon nodwydd sanau ac edafedd o ffêr gwraig ifanc o'r Fenni, un mlynedd ar bymtheg wedi i'r nodwydd a'r edafedd fynd i mewn i'w braich.

✍

AR DDECHRAU'R bymthegfed ganrif ffyrnigodd ac edwinodd gwrthryfel Owain Glyndŵr yn erbyn gorthrwm y Normaniaid a'r Saeson a daeth diwedd, dros dro, ar freuddwyd Glyndŵr i weld parhad senedd i Gymru ym Machynlleth. Daeth diwedd hefyd ar ei ddeisyfiad i gael Eglwys Gymreig yng Nghymru gyda Chymro yn Archesgob arni, a dwy Brifysgol, un yn y De a'r llall yn y Gogledd.

Yn ystod ac ar ôl y gwrthryfel fe fu pethau yn o fain ar y gymdeithas yng Nghymru gyda nifer o reolau estron yn cael eu dyfeisio a'u gorfodi ar y werin bobl a hynny yn eu gwlad eu hunain. Bu ymosodiad hefyd ar iaith a diwylliant y Cymry a chyhuddwyd y beirdd o fod yn chwyldroadol gan fod eu barddoniaeth yn debyg o ddechrau twrw a chodi cynnen. Dyma rai o'r gwaharddiadau atgas a ddaeth i rym. Fe fuont felly am rai blynyddoedd, a dweud y gwir fe'u cadarnhawyd yn Neddf 1447:

> Doedd yr un Sais i'w gael yn euog o unrhyw drosedd ar air Cymro neu Gymraes.
> Doedd yr un Sais i gael ei farnu gan reithgor o Gymry.
> Doedd yr un Sais na Saesnes i briodi na chyfeillachu â Chymro na Chymraes.
> Doedd yr un plentyn o Sais i gael ei fagu gan Gymro na Chymraes.
> Doedd yr un Cymro arfog i gerdded yr heol na chael mynediad i dref na chastell.

Gwaherddid unrhyw nifer o Gymry rhag ymgynnull. Doedd yna ddim lle i'r Gymraeg mewn llys barn nac unrhyw gyfarfod o bwys.

✑

NID YN AML mae bwled yn achub bywyd dyn. Yr oedd Bob Peters yn "hen law" o ryfel cartref Sbaen gan gymryd llwybr go gymhleth i ymuno â'r frigâd ryngwladol yn y frwydr honno yn erbyn Franco.

Gadawodd Gymru yn ystod y dirwasgiad a mynd i Ganada i chwilio am waith. Wedi gweithio'n galed ar longau'r Llynnoedd Mawr fe aeth i Ffrainc a chael ei smyglo i Sbaen. Wedi'r heldrin honno dychwelodd i Gymru, yn dlawd a di-waith. Chwiliodd am waith yn Swydd Ceint, priododd yn y sir honno a gwisgodd lifrai eto gan ymuno â chatrawd Wyddelig. Ymladdodd trwy Sicily, yr Eidal ac Iwgoslafia. Cymerodd ran ym mrwydrau Anzio a Monte Casino cyn cael ei ryddhau yn 1946.

Pan oedd yn ymladd yn Sbaen fe'i gorchmynnwyd i fynd â neges i lawr i'r pentref. Chwibanai'r bwledi heibio'i glustiau. Arhosodd gyda'r cwmni nes iddynt ennill y dydd. Oedodd i ymgeleddu cyfaill wrth iddynt groesi afon a theimlodd fwled yn ei daro fel gordd yn ei gefn. Aed â Bob i Ysbyty Madrid lle gwelwyd bod y bwled yn dynn yn asgwrn ei gefn. Ni ellid ei symud ac fe aeth Bob yn ôl at ei waith gan wirfoddoli fel *dispatch rider*. Golygai hyn nad oedd mwyach yn y *front line*, a theimlai'n gydwybodol fod y bwled felly wedi achub ei fywyd. Yn ychwanegol at hyn fe lwyddodd ei deithiau mynych ar y moto-beic i symud y bwled yn asgwrn ei gefn i le mwy hygyrch ac yn y man fe'i tynnwyd o'i gorff. Bu farw Bob Peters yn 93 oed.

RWY'N DAL I GOFIO i'r diweddar Bob Davies, Cae Merddyn, ddangos y ffenestr fach honno i mi. Roedd hi ar y trydydd neu'r pedwerydd llawr ac ar gornel dde Ysbyty Paddington. "Dyna ffenestr yr ystafell lle darganfyddodd Alexander Fleming rinweddau penisilin," meddai Bob.

Roedd hynny cyn i mi glywed am gyfraniadau pwysig Sir Fôn i feddygaeth, gyda Meddygon Esgyrn Môn, Syr Alun M. Rowlands, Bryngwran, Syr William Roberts, Mynydd y Gof, Bodedern ac eraill yn gwneud cyfraniadau byd-werthfawr i'r gelfyddyd o wella pobl.

Yn ddiamau fe wnaeth Syr Alexander Fleming waith mawr i ddod â phenisilin i sylw'r cyhoedd ond nid ef oedd y cyntaf o bell ffordd. Yng Ngwlad Groeg defnyddid llwydni i wella doluriau. Yn Serbia fe ddefnyddid bara wedi llwydo i drin anafiadau, tra yn Rwsia fe ddefnyddid pridd poeth i'r un diben. Yr oedd yr Arabiaid yn defnyddio'r llwydni a geid ar gyfrwyau eu ceffylau i drin doluriau brochgáu.

Yn 1871 fe welodd Joseph Lister, tad antiseptigaeth fodern, fod dŵr dynol a llwydni arno yn cael gwared â bacteria. Yn 1874 fe sylwodd Syr William Roberts, Mynydd y Gof, Bodedern na ddeuai bacteria yn agos at un math arbennig o lwydni. I ddod yn nes adref fe arferai fy nhad yng nghyfraith adael i deisen afalau lwydo dipyn er mwyn sylwi na ddeuai pydredd yn agos ati. Fe wnaed mwy a mwy o waith ymchwil i'r gwahanol fathau o lwydni cyn cyrraedd sylwadau Syr Alexander Fleming yn 1928.

Gyda llaw, Syr William Roberts, Bodedern ddyfeisiodd y gair *enzyme* o'r gair Groeg *enzym* (lefain, eples, surdoes neu furum) am y sylwedd sy'n gweithio'n ddirgel (er da neu er drwg) i beri newid yn y deunydd o'i gwmpas.

☙

AR UN ACHLYSUR yr oedd Penbryn ar werth am o leiaf filiwn o bunnau. Mae Penbryn yn Llangynnwr, Sir Gaerfyrddin. Bu'n gartref i Syr Lewis Morris, athronydd a bardd Saesneg a gor-ŵyr i Lewis Morris.

Cyfreithiwr oedd Syr Lewis Morris (1833-1907) wrth ei alwedigaeth, a rhifai Tennyson ac Oscar Wilde ymhlith ei gyfeillion. Yng Ngholeg yr Iesu, Rhydychen ef oedd y cyntaf mewn deng mlynedd ar hugain i gael anrhydedd yn ei arholiadau agoriadol a'i arholiadau terfynol. Bu ar y rhestr fer am swydd Bardd y Frenhines ond fe gymerodd y Frenhines Victoria yn ei erbyn pan glywodd ei fod wedi bod yn dil-dalio hefo'i howsgipar. Un o'i ganeuon enwocaf yw "Hunanladdiad Cariad" ("Love's Suicide") a rhywbeth yn debyg i hyn yw dechrau'r gân honno:

> Gwae fi, y cariad ynof fi fu farw.
> Suddodd i'r dwfn ac ni chyfyd mwy.
> Fe'i hunan-laddwyd, gan ddiflannu
> o gyrraedd pob adferiad:
> A dyna fy mhoen – mae Hi yn fyw
> ac yn tyfu mewn prydferthwch wrth yr awr,
> Y cariad ynof fi yw'r un a ffodd.

☙

PAN OEDD MAGDALEN a finnau'n "canlyn" fe ganlynasom i lawer man o ddiddordeb yng Nghymru. Un o'r lleoedd yr oedd rhaid mynd iddo oedd Llyn y Fan Fach ger Llan-ddeusant wrth droed y Mynydd Du, ardal teulu Magdalen. Yr oedd mab Blaen Sawdde, Llanddeusant, wedi gweld morwyn brydferth yn codi o ddŵr y llyn ac ar ei drydydd cynnig fe gytunodd i'w briodi ar yr amod na fuasai'n ei tharo deirgwaith heb achos. Priodwyd y ddau ac aethant i fyw i Esgair Llaethdy ger Myddfai lle ganwyd tri mab iddynt.

Fel y digwyddodd pethau cafodd y gŵr achos i daro'i wraig deirgwaith yn ysgafn ar ei hysgwydd a galwodd hithau ar y gwartheg i gyd wrth eu henwau, ynghyd â'r llo bach a fu farw, gan fynd â hwy i gyd gyda hi i ddyfroedd Llyn y Fan Fach:

> Mu-wlfrech, Moelfrech,
> Mu-olfrech, Gwynfrech,
> Pedwar cae tonfrech,
> Yr hen Wynebwen,
> A'r las Geigen,
> Gyda'r tarw gwyn
> O lys y brenin,
> A'r llo du bach
> Sydd ar y bach,
> Dere dithau yn iach adre!

Yn ôl y chwedl fe ymddangosodd y fam i'w meibion a dysgu llysieuaeth a meddygaeth iddynt. Daeth un mab, Rhiwallon, a'i feibion yntau, yn feddygon i'r Tywysog Rhys Gryg ac yn enwog fel Meddygon Myddfai. Cofnodwyd eu gwaith mewn llawysgrifau ac fe'u cyhoeddwyd yn y Gymraeg, Saesneg a Ffrangeg.

❧

DYMUNAF DALU TEYRNGED i fy hen brifathro yn Llangefni, Edgar H. Thomas. Gŵr bonheddig a llednais ydoedd. Yr oedd yn fardd crefftus ond nid oedd wedi meistroli'r grefft o ddweud y drefn yn effeithiol iawn ac yr oedd ei ffydd mewn pobl yn gryfach na'i awydd i weld pob bachgen yn angel ofnus. Bûm yn ddigon ffodus i gael gwersi Cymraeg ganddo pan oedd yr arholiadau'n agosáu a ninnau ddim yn agos i barod oherwydd syrthni'r athro Cymraeg.

Yn 1938 Edgar Thomas oedd bardd coronog Eisteddfod Genedlaethol Caerdydd am ei bryddest "Peniel". Rhyd y Grugos, sef Edgar Thomas, oedd y gorau o ddigon gan y Prifathro D. Emrys Evans a Charadog Prichard allan o bymtheg cystadleuydd.2 Ond yng nghanol yr holl ganmol y mae gan Caradog Prichard un paragraff sy'n tynnu fy sylw, a maddeued i mi am ei ddyfynnu:

> Dyma ni bellach yng nghwmni bardd y gystadleuaeth. Cyflawnodd droseddau sy'n anfaddeuol i bawb ond i fardd, a ffaelu â chyrraedd, o ddwy linell, y lleiafrif o bedwar cant, a bu'n rhaid inni, er mwyn ei gyfreithloni, gynnwys ei dri phennawd yn y cyfrif. Eto, fe grwydrodd mor bell oddi ar y llwybr testunol ag y beiddiai heb gael ei daflu allan o'r gystadleuaeth. A thrachefn, baglodd mor drwsgl mewn un llinell nes bod honno'n ymddangos fel craith hagr ar gorff glân, gosgeiddig. Ond maddeuwyd iddo'i droseddau am mai troseddau bardd ydynt.

Ac i gofio am Edgar Thomas a'i ysgol ddifyr, dyma englyn o'i eiddo i'r "Llwybr Troed":

> Daw â ni i ryd y nant, – i ffridd fwyn
>   O ffordd fawr a phalmant;
> Ar oediog gam i ramant, –
> O glyw byd, i ddirgel bant.

Ysgwn i a ddaeth ei englyn yn ail i englyn enwog J. T. Jones? A dyma'r englyn hwnnw:

Rwy'n hen a chloff, ond hoffwn – am unwaith
    Gael myned, pe medrwn,
  I'm bro, a rhodio ar hwn;
  Rhodio, lle gynt y rhedwn.

        ✍

FYDDEM NI DDIM yn mynd heibio Neuadd Mynytho yn
aml ond pan wnaem hynny fe fyddwn innau yn tynnu fy
ngolwg oddi ar y lôn i gael cip sydyn ar yr englyn uwchben
y drws. Ym mis Tachwedd 1935 yr agorwyd y neuadd ac fel
athro ar ddosbarth Addysg y Gweithwyr yno fe wahoddwyd
R. Williams Parry i gymryd rhan yn y seremoni. Cyndyn
ydoedd i ddweud gair a phan alwyd arno i wneud hynny fe
ddywedodd nad oedd ganddo ond englyn bach i'w gynnig:

  Adeiladwyd gan dlodi, – nid cerrig
    Ond cariad yw'r meini;
    Cyd-ernes yw'r coed arni,
    Cyd-ddyheu a'i cododd hi.

A dyna'r englyn a osodwyd uwchben y drws ac os ydych
am weld englyn cymhleth-syml, tyn ei wead cynganeddol,
dyma fo. A Chymru yw'r unig wlad yn y byd all gynhyrchu
y fath orchestwaith.

        ✍

ATGO

  Dim ond lleuad borffor
  Ar fin y mynydd llwm
  A sŵn hen afon Prysor
  Yn canu yn y cwm.

Angen cadarnhau teitl y pennill uchod gan Hedd Wyn yr oeddwn a llwyddais i wneud hynny ar dudalen olaf y gyfrol *Cerddi'r Bugail*, cyfrol o waith Hedd Wyn, a gyhoeddwyd yn gyntaf yn 1918 dan olygiaeth y Parchedig J. J. Williams. Cyn i mi gau'r llyfr llithrodd toriad papur allan ohono. Toriad o bapur Saesneg ydyw ac arno mae cyfeiriad at oriau olaf Hedd Wyn wedi brwydr Cefn Pilkem yn Fflandrys.

Un o'r dynion olaf i weld Hedd Wyn yn fyw oedd William Richardson o Landudno, gan fod y ddau yn aelodau o adran Cymry Llundain o'r bymthegfed gatrawd o'r Ffiwsilwyr Cymreig. Canfyddodd William y bardd yn gorwedd ar faes y gad gydag anafiadau difrifol i'w fron a bu'n gymorth i'w gario i ganolfan yr anafus. Ond bu Hedd Wyn farw wrth iddynt fynd ag ef i mewn trwy'r porth.

Yn ôl William nid oedd Hedd Wyn wedi bod yn y gatrawd yn hir ac roedd yn cadw iddo'i hun i raddau helaeth. Ni sylweddolai William fod Ellis Humphrey Evans yn fardd ac wedi ennill cadeiriau am ei waith.

Nid oedd Hedd Wyn ond un o'r 1,300 o fechgyn a laddwyd y bore hwnnw.

Yn cydredeg â'r pennill "Atgo" gan Hedd Wyn fel un o fy hoff benillion byrion, y mae pennill J. T. Job i Gwm Pen Llafar, sydd i'w gael uwchben Bethesda yn Nyffryn Ogwen. Yr oedd y Parchedig J. T. Job yn gadael y Carneddi i fugeilio yn Abergwaun a chanodd y pennill hwn i gofio am y cafn tir rhwng Carnedd Llywelyn a Charnedd Dafydd ac afon Llafar yn llifo trwyddo. Yn yr afon hon y cafodd J. T. Job oriau difyr o bysgota. A chymeraf innau esgus i'w gynnwys fel y cewch chwithau roi'r pennill hwn hefo'r pennill uchod ar eich cof i'w mwynhau bob rhyw hyn a hyn:

Ffarwel i Gwm Pen Llafar
A'i heddwch diystŵr,
Lle nad oes lef ond ambell fref,
A Duw a sŵn y dŵr.

CAFWYD ENGLYN gan Nance Williams yn ddiweddar, yr
englyn "'Cymwynas'" a weithiwyd gan Dîm Ymryson y
Beirdd Ardudwy yn yr wythdegau:

Ni fliner ei chyflawni – nid â gwg
Ond â gwên ac egni;
Na chwyd arian amdani
Na dy lais i'w hedliw hi.

MAE'R GOFEB I Owain Glyndŵr, yng ngerddi Plas Mach-
ynlleth, yn drawiadol iawn ond yr un mor drawiadol i mi
yw'r englyn sydd arni i'r tywysog, o waith y bonheddwr
hynaws Dafydd Wyn Jones. Dafydd Wyn Jones oedd
Cadeirydd Pwyllgor Gwaith Eisteddfod Genedlaethol
Maldwyn yn 1981. Rydym yn gyfarwydd â'i englynion
gwefreiddiol ar y Talwrn, – englynion diguro yn fynych – ac
yn sicr iawn anodd iawn fuasai rhagori ar yr englyn hwn i
Owain Glyndŵr :

Owain, tydi yw'n dyhead, – Owain
Ti piau'n harddeliad,
Piau'r her yn ein parhad
A ffrewyll ein deffroad.

MAE RHAI ENWAU CAEAU yn ddiddorol iawn. Ond enwau cyffredin yw'r rhan fwyaf ohonynt. Fe gewch enwau yn dweud yn union lle mae'r caeau, Cae Pellaf, Cae Talcen, Cae o Flaen Drws a Chae Agosa i'r Lôn. Mae yna enwau eraill yn dibynnu ar ffurf y cae, Cae Main, Llain Delyn a Rhos Hetar. Enwau caeau eraill yn dibynnu ar rywbeth sydd i'w weld ynddynt, Cae Pwmp, Cae Gwair, Cae Cwt Llo, Cae Pydew, Cae Dŵr neu Cae Ffynnon a Chae Cwt Ieir. (Mi wyddwn am Allt Cwt Ieir cyn cyrraedd eglwys Chwarelau ond wyddwn i ddim am y cae cyn hyn.)

Yn Nhyddyn Philip, Rhos-fawr yr oedd cae o'r enw Cae Merddyn Cacwn. Buaswn wrth fy modd pe cawn wybod pam. A fu yno nythiad o gacynod ryw dro? Yn Nhyddyn Philip yr oedd Cae Cadwgan, Cae Cadwgan Siôn a Chae Halwyn hefyd. Byddai John Hughes, Pant y Gwyddel, yn dweud bob amser nad Gallt Cadair Bwgan oedd yr enw cywir er bod carreg ar ffurf cadair ar ganol yr allt. Yr enw cywir, medda fo, oedd Allt Cadwgan gan fod hen fythynnod Cadwgan gerllaw.

A beth am Gae Halwyn wedyn? Wel, mae dau ystyr i'r gair *halwyn*, halen yw'r cyntaf, a myharen yw'r ail ystyr. Dewiswch chi ond mi ddewisaf innau gae a myharen ynddo. Hoffaf yr enwau sy'n cynnwys enw pobl, Cae Bwlch Weber (*sic*) a Chae Bwlch Wyber yn Nant Uchaf. Ai gwiber sydd yma ynteu dyn o'r enw Webber? Bonc William Thomas yn Nant Newydd, Cae Modryb Elen ym Modunwch, Cae Fron Harri yn Nant Isaf.

Beth yw ystyr Cae Cwrn ym Mhengraig tybed? Ac a oedd a wnelo hwnnw rywbeth ag enw fel Cae Cacwn?

❧

Ond y pethau bach, bob dydd
Yw sylfaen bywyd a phinaclau ffydd.

Dyma un o gwpledi Niclas y Glais. Mae yma lyfr yr oedd
gan fy nhad feddwl mawr ohono, llyfr a gyhoeddwyd gan
Wasg Gee yn 1940 ac a arwyddwyd gan T. E. Nicholas â'r
rhif 2740. Ar y clawr mae llun drws carchar gyda'r geiriau:
"Swansea-Brixton: Llygad y Drws: Sonedau'r Carchar: T.E.
Nicholas 2740." Ar y ddalen gyfarch fe geir: "Cyflwynir y
gyfrol hon i Iorwerth Peate a Dewi Emrys, dau a'm dysgodd
i garu'r soned, ac i T. Islwyn Nicholas, cydymaith diddan a
diddig yn y ddau garchar." Yn ychwanegol at hynny, fe gofiaf
fel y byddai fy ewythr yn ymfalchïo yn y ffaith iddo gael
trin ei ddannedd gan Niclas y Glais pan ddeuai'r deintydd i
Ddinas Mawddwy o dro i dro.

❧

Sylwais fod *Caniadaeth y Cysegr* yn dod o Gapel Adulam,
Felin-foel a finnau'n sylweddoli nad oeddwn yn gwybod
ymhle yn y Beibl yr oedd lle o'r enw Adulam. Does dim
tebyg i anwybodaeth am yrru dyn i chwilota. Mewn ogof
yn agos i dref Adulam y cuddiodd Dafydd pan oedd Saul
yn ei erlid. Erbyn gweld mae yna Gapel Adulam ym
Mhontardawe hefyd.

❧

Rai blynyddoedd yn ôl doedd yna fawr o ganeuon
Cymraeg i'w clywed ar raglenni cerddoriaeth Saesneg os
oedd yna rai o gwbl. Ond fe ddaeth tro ar fyd ac fe achosodd

Bryn Terfel, Katherine Jenkins, Harry Secombe, Mary Hopkin, Benjamin Britten a Chôr y Fron gryn newid yn y sefyllfa. Ond a dweud y gwir yr oedd pethau'n dechrau gwella cyn hynny ac fe ddywedwyd wrthyf mai gwraig o'r enw Jane Jones o Goed-poeth oedd yn gyfrifol, neu'n rhannol gyfrifol, am y diwygiad. Fe glywir seiniau hyfryd caneuon fel "Lisa Lân", "Tros y Garreg", "Gwŷr Harlech", "Myfanwy", "Dafydd y Garreg Wen" ac eraill yn bur aml. Faint o'r gwrandawyr byd-eang tybed sydd yn gwybod hanes Dafydd y Garreg Wen?

Credaf mai yn ystod un o deithiau'r Gymdeithas ydoedd pan oedwyd ym Mhentrefelin gyda rhyddid i bawb fynd am dro bach. Fe groesodd y rhan fwyaf ohonom y ffordd a chymryd y llwybr am hen eglwys Ynys Cynhaearn. Yn y fynwent honno, i'r dde o'r drws, y mae bedd y telynor gydag arysgrif ac englyn gan Ellis Owen Cefnymeysydd:

> BEDD DAVID OWEN
> Neu Dafydd y Garreg Wen
> Y telynor rhagorol
> A gladdwyd 1749
> Yn 29 mlwydd oed

> Swynai'r fron, gwnai'n llon y llu, – a'i ganiad
> Oedd ogoniant Cymru;
> Dyma lle ca'dd ei gladdu,
> Heb ail o'i fath – Jubal fu.

Fe grwydra, ac fe grwydrodd hanes Dafydd ymhell. Fe ysgrifennodd Syr Walter Scott gerdd amdano ac meddai:

> The Welsh tradition bears that a bard on his deathbed demanded his harp and played the Air, to which these verses are adapted, and requested that it might be performed at his funeral.

"Cariwch," medd Dafydd, "fy nhelyn i mi,
Ceisiaf cyn marw roi tôn arni hi.
Codwch fy nwylo i gyrraedd y tant,
Duw a'ch bendithio fy ngweddw a'm plant."

Neithiwr mi glywais lais angel fel hyn;
"Dafydd tyrd adref a chwarae trwy'r glyn."
"Delyn fy mebyd ffarwel i dy dant!
Duw a'ch bendithio fy ngweddw a'm plant."

DYFYNNWYD Y CANLYNOL yn 1825 o hen ysgrif. Mae'n rhestru saith o rinweddau gŵr bonheddig, neu ŵr bonheddig dichonadwy!

Bod yn fardd ar ei fwrdd,
Bod yn oen yn ei ystafell,
Bod yn feudwy yn ei eglwys,
Bod yn baun ar yr heol,
Bod yn ddoeth yn ei ddadl,
Bod yn llew ar y maes,
Bod yn athro yn ei dŷ.

AR UN O'R SILFFOEDD yma mae llyfr ac arno'r geiriau, "Cyflwynedig i'r Gwir Anrhydeddus David Lloyd George yn 1944 gan John W. Jones, Blaenau Ffestiniog." Y llyfr yw *Yr Awen Barod*, cyfrol goffa Gwilym Deudraeth (1863-1940). John W. Jones oedd golygydd y gyfrol. Dyma ail lyfr y bardd. Y cyntaf oedd '*Chydig ar Gof a Chadw* (1926). Un o hogia Caernarfon oedd Gwilym Thomas Edwards.

Symudodd y teulu i Benrhyndeudraeth pan oedd Gwilym yn blentyn. Penderfynodd Gwilym beidio dilyn ei dad a mynd i'r môr a threuliodd ychydig amser yn y chwarel cyn bod yn orsaf-feistr yn Nhan-y-bwlch a Rhosllyn. Ar ôl hynny aeth i weithio i Lerpwl a bu farw yn 1940 ac fe'i claddwyd ym mynwent Allerton.

Ymysg ei nifer fawr o englynion mae nifer o rai ysgafn a dyma un ohonynt, fe welir nad oedd yn hapus ei fyd yn Rhosllyn ac fel hyn yr amlygodd ei anfodlonrwydd. Patmos, wrth gwrs, yw'r ynys ddiffrwyth a chreigiog gerllaw yr Eidal, ynys lle byddai'r Rhufeiniaid yn anfon drwgweithredwyr. Yno y bu Ioan, yr efengylydd, am gyfnod.

> Ciciwch fi i werthu cocos, – neu hyrddiwch
> Fi i'r Werddon i aros
> 'Waeth ple, i rywle o'r Rhos –
> Put me in Ynys Patmos.

Fe welsom fan wen y diwrnod o'r blaen gyda rhes o ffenestri bychain ynddi. "Black Maria," meddai rhywun, gan lwyr anwybyddu lliw'r cerbyd. "Mae rhyw greadur ar ei ffordd i'r carchar." Fe gofiaf innau mai du oeddynt erstalwm ond o ble daeth yr enw? Wel, yn ôl a ddarllenais i, cawres o wraig groenddu flonegog oedd Maria Lee yn cadw llety glanwaith iawn i longwyr yn nhalaith Massachusetts ac fe ddaeth ei gwesty yn enwog am ymddygiad delfrydol ei gwesteion hefyd. Y gwir yw fod hyd yn oed y dihirod gwytnaf yn rhodio mewn braw ac arswyd rhag Maria Ddu. A phan elai pethau'n afreolus ar y strydoedd doedd y plismyn ddim yn brin o anfon am "Black Maria" i wastrodi'r llabystiaid a'u hebrwng i'r rheinws. Felly, ym Mhrydain, pan ddechreuwyd defnyddio cerbydau ceffyl i fynd â drwgweithredwyr i'w rhoi dan glo fe fedyddiwyd y cerbyd hwnnw yn "Black Maria" ar ôl Maria Lee, y Fari Fawr Tre-lech honno o'r Unol Daleithiau!

FÛM I DDIM AR Ynys Wydrin neu Afallon yng Ngwlad yr Haf ers blynyddoedd, neu Glastonbury fel yr ydoedd i mi yr adeg honno. Ond fe gofiaf weld y goeden – y ddraenen flodeuog a ddaeth, yn ôl y chwedl, i fodolaeth pan gyrhaeddodd Joseff o Arimathea yno i sefydlu'r eglwys Gristnogol gyntaf ym Mhrydain. Dywedir iddo daro ei ffon ym mhridd y bryncyn ac i'r ffon wreiddio yn y fan a'r lle. Oddi ar hynny mae'r ddraenen yn blodeuo ddwywaith y flwyddyn – yn y gwanwyn a thros y Nadolig. Mae'n debyg mai chwedl ydyw ond fe anfonir cangen o'r goeden i'r teulu brenhinol bob Nadolig.

Cofiaf dynnu llun yr ysgrifen ar fur yr eglwys, ysgrifen yn dynodi "Traddodiad Gwlad yr Haf". Fe ddyfyd fod Joseff o Arimathea yn ewythr i Fair, mam yr Iesu, marsiandïwr a deithiodd i Brydain i brynu alcam yng Nghernyw a phlwm yng Ngwlad yr Haf. Ar un o'i deithiau fe ddaeth â'r bachgen Iesu gydag ef. Codasant gysegr syml ar Ynys Wydrin, adeilad syml o fwd a gwiail plethedig (o fangorwaith neu blethwaith). Cafodd yr adeilad yr enw "Yr Hen Eglwys".

Fe gofiaf weld y bedd lle y tybir i'r Brenin Arthur gael ei gladdu y tu allan i'r abaty hefyd a darllen am dynged yr abad pan ddiddymwyd y mynachlogydd gan Harri'r Wythfed yn 1539. Fe lusgwyd Richard Whiting, yr abad olaf, i gopa'r bryncyn, y Tor, a'i ddienyddio yn y fan honno. Erbyn heddiw fe aeth y rhyfela, y diddymu a'r lladd yn angof yn sŵn y cannoedd yn cofleidio'n cerddoriaeth fodern unwaith y flwyddyn.

✍

GWAITH PERYG yw clirio. Yn fuan iawn fe gaiff dyn ei hun yn cofio, myfyrio a rhyfeddu yng nghanol llu o ddarnau papur. Ceir ambell lythyr diddorol, ambell nodyn anghofiedig ac ambell ddarn o farddoniaeth wedi ei daro i lawr ar ddarn o bapur a'i roi o'r neilltu neu ei roi yn saff! Dyma un sy'n cyfeirio at blentyn yn cerdded adref hefo'i dad o Eisteddfod Marian-glas yn y tridegau dan olau'r sêr. Fe'i sgwennwyd gennyf flynyddoedd yn ôl ar gefn amlen, am rywbeth ddigwyddodd flynyddoedd cyn hynny. Melys y myfyrdod:

> DAN Y SÊR
>
> Cerddais
> Dan bowlen y sêr
> A'm braich yn ddwfn
> Ym mhoced fy nhad
> A'i sicrwydd yn symud
> Yn gynnes wrth fy ochr.
> Nid oedd ofn ar y cyfyl,
> Mewn na seren gynffon na chri tylluan.
> Cerddwn yn wrol gydag ef
> I fol y fuwch ddu,
> Fy ffydd yn ei gadernid solat
> Yn cau fy llygaid
> Am lathenni melys,
> a thramp ein troedio cyson
> yn ddeuawd eofn
> ym mhlygion y nos.

GANWYD DEWI EMRYS yn y Ceinewydd yn 1881 ac fe ddechreuodd ei yrfa fel newyddiadurwr ar y *Carmarthen Journal* gan ddod yn is-olygydd. Daeth yn weinidog yr efengyl ac yn y man yn fugail eglwys Finsbury Park. Ond ymgasglodd y cymylau, yn briodasol ac yn ariannol. Ffarweliodd â'r weinidogaeth ac erbyn 1917 yr oedd wedi ymuno â'r fyddin. Methodd ailgydio yn llinyn ei fywyd ar ôl y cyfnod hwnnw a throdd yn grwydryn yn Llundain gan ennill ei damaid trwy ysgrifennu i gyfnodolion Saesneg a chystadlu mewn ambell eisteddfod. Teimlai hiraeth am fro ei eni:

> O, Dirion Dad, arwain Di – fy enaid
> I'th fwynaf oleuni,
> Rho heulwen bro fy geni
> O'r niwl mawr yn ôl i mi.

Eto i ddod yr oedd ei ddychweliad i Gymru, ei ddeuddeng mlynedd yn y Bwthyn, Talgarreg, Coron Eisteddfod Abertawe yn 1926, Cadair Eisteddfod Lerpwl yn 1928 a Chadair Eisteddod Llanelli yn 1930. Daeth Cadair Eisteddfod Bangor iddo yn 1943 a Phen-y-bont ar Ogwr yn 1948. Bu'n gyfrifol am "Y Babell Awen" yn *Y Cymro*. Cyhoeddodd *Odl a Chynghanedd*, a thair cyfrol o farddoniaeth sef Y *Cwm Unig*, *Cerddi'r Bwthyn* a *Wedi'r Storom*. Cofiaf ei weld yn Eisteddfod Aberystwyth 1952, yn cerdded yn urddasol gyda'i ferch i lawr y llwybr canol gan dynnu sylw pawb o'i gwmpas. Ymhen y mis bu farw ac fe'i claddwyd ym Mhisgah, Talgarreg. Mae ei golofn goffa uwchben y môr ym Mhwllderi, ei hoff lecyn.

Ambell Damaid

Cyn iddo fynd i'r ysbyty am y tro olaf fe adawodd ddarn bach o bapur yn nhrôr ei fwrdd ac arno ei feddargraff:

> Melys hedd wedi aml siom,
> Distawrwydd wedi storom.

A WELAIS ac
a GLYWAIS (vi)

— Pan ddaw'r gaeaf ni all y gwanwyn fod ymhell.

— Mae digon cystal â gwledd.

— Cam bach yw cychwyn taith fawr.

— Melys cwsg potes maip.

— Ni all Duw atal galar a thristwch ond fe all
eich cynnal i ysgwyddo'r baich.

Ddoe a Heddiw

Bu ymweliad S4C â Phatagonia yn gymorth i ni sylweddoli fod llawer o'n cyn-gydwladwyr yn dda eu byd ac yn gyfarwydd â thai moethus a'r ffasiynau diweddaraf mewn dodrefn a dillad. Ond yr oedd yna ambell adlais o'r gorffennol hefyd a theclyn at lanhau grât ac aelwyd oedd un ohonynt – pluen gŵydd y'i galwyd ar y rhaglen, aden gŵydd ydoedd gan Hafina Clwyd ond aden bobi oedd hi gan fy nain a chan fy mam.

Y dyddiau hyn mae yna sôn mawr am oryrru, gyda'r rhan fwyaf o bobl yn cadw o fewn terfynau cyflymder, gyda'r heddlu a llygad y camera ar eu swyddogion eu hunain hyd yn oed.

Yr un cyntaf i gael ei alw i gyfrif am oryrru oedd Walter Arnold o bentref East Peckham yn Swydd Ceint. Ar y deunawfed o Ionawr yn y flwyddyn 1896 fe'i daliwyd yn gwneud wyth milltir yr awr gan blismon ar gefn beic. Yr oedd wedi gyrru chwe milltir yn gyflymach na'r hyn oedd yn gyfreithlon ac fe gafodd swllt o ddirwy.

PAN FYDDWCH CHI'N gweld plentyn yn "cysgu'n dynn" neu'n gobeithio cael gwneud yn union yr un peth, fe fyddwch yn mynd yn ôl flynyddoedd. Yr oeddwn i wedi arfer meddwl mai cysgu â'ch llygaid wedi cau yn dynn oedd hynny. Ond na. Erstalwm fe roddid rhaffau ar draws ffrâm y gwely i ddal y fatres. Yr oedd yna agoriad ar gael hefyd i dynhau'r rhaffau a chadw'r fatres yn dynn yn ei lle. Ond cysgwch yn *dynn* heno, rhaffau neu beidio!

✑

DYMA FY HOFF englyn o waith John Owen, Bodffordd, yr englyn er cof annwyl am y milwr, Emlyn Lloyd Jones, a gwympodd yn yr Eidal, 3 Tachwedd 1943 yn 21 mlwydd oed.

> Nid â o gof fywyd gwyn – y llanc hoff
> Fu'n llawn cân ac emyn;
> Ac O! Dduw mawr, gwyddom hyn –
> Nid ymladd oedd nod Emlyn.

✑

BÛM YN MEDDWL ai gwir yw'r hanes fod Cromwell o dras Cymreig a Nell Gwynne yn perthyn hyd yn oed yn nes na'i henw. Yn ddiweddar fe fûm yn chwilota ac yn wir i chi, enw hen daid Oliver Cromwell oedd Morgan Williams, brodor o Sir Forgannwg, oedd wedi symud i Lundain ar ddiwedd y bymthegfed ganrif. Fe briododd Morgan â chwaer hynaf Thomas Cromwell a ddaeth yn brif weinidog yn adeg Harri'r Wythfed. Mabwysiadodd meibion Morgan Williams yr enw Cromwell er parch â Thomas, brawd enwog eu mam.

Ond un o Henffordd oedd Nell Gwynne er ei bod o

linach Gymreig yn ôl ei henw. Y mae tabled ar fur Gardd yr Esgob yn Gwynne Street yn dynodi iddi gael ei geni yno yn 1650. Fe aeth Nell i Lundain a chynnal ei hun trwy werthu orennau yn y King's Theatre. Yr oedd yn ferch mor fywiog a nwyfus fel y cafodd le fel actores, gyda rhai fel John Dryden yn ysgrifennu dramâu iddi. Yn fuan, hi oedd cariad y Brenin Siarl yr Ail ac yntau wrth ei fodd yn ei chwmni gan ei bod yn ferch hollol naturiol heb yr un daten o ddiddordeb mewn gwleidyddiaeth, fel rhai o'i gariadon eraill. Unwaith, fe aflonyddwyd ar ei cherbyd gan i rai feddwl mai'r Dduges Portsmouth drwynsur ydoedd. Rhoddodd Nel ei phen drwy'r ffenest a gweiddi, "Peidiwch da chi, y butain Brotestannaidd ydw i." Fe gafodd Nel ddau fab. Bu farw un a gwnaethpwyd y llall yn Ddug St. Albans. Fel y digwyddodd pethau daeth mab y dug hwnnw, ŵyr Nel, yn Esgob Henffordd. Yr oedd gan y brenin gryn feddwl ohoni i'r diwedd a'i eiriau olaf oedd, "Peidiwch â gadael i Neli druan lwgu."

MAE'N DEBYG, yn ei hanfod, mai dipyn o fyrra'th oedd i mi groniclo toriad gwawr a machlud haul eto eleni. Dechreuwyd y rhestru ar y diwrnod byrraf (21 Rhagfyr) gan ddal ati nes daw'n adeg troi'r awr yn y gwanwyn. Ar 21 Rhagfyr yr oedd glasiad y wawr am ddau funud ar bymtheg wedi wyth ac fe ddaliodd y wawr yn bur sefydlog tan y degfed o Ionawr. Dyna'r bore pan ddechreuodd y wawr symud yn ôl o ddifrif. Yr oedd y machlud yn wahanol. Yr oedd hwnnw wedi dechrau symud o'r diwrnod cyntaf ac erbyn y degfed o Ionawr yr oedd wedi gwneud ei ran i ymestyn y diwrnod o ugain munud. Erbyn canol Chwefror mae'r wawr wedi "ennill" awr ac ugain munud a'r machud wedi "ennill" awr a thri munud ar ddeg. Dyna i chi gyfanswm o ddwy awr a hanner. O fewn ychydig eiliadau mae golau dydd yn ymestyn rhyw ddau funud a hanner bob dydd.

Yr hyn sy'n gwneud i mi lyncu 'mhoeri a dal fy ngwynt yw fod hyn wedi mynd ymlaen ers miliynau o flynyddoedd ac yn debyg o wneud hynny am filiynau o flynyddoedd eto. Cymerwch ymennydd morgrugyn, nerth ambell feirws a phrydferthwch yr eirlys a'u rhoi ochr yn ochr â'r fath drefnusrwydd anferthol a dyna chi'n cael syniad o drefn – ac o beth yw Trefn.

✒

MAE YNA RYWBETH trist yn y ffaith nad yw plant yn cael y rhyddid heddiw i ddod yn gyfarwydd â chaeau, creigiau a phonciau, ffynhonnau, nentydd, pontydd a choedydd eu milltir sgwâr. Ein braint fawr ni oedd cael y rhyddid i ymgynefino â holl adnoddau naturiol y fro a phan ddeuai syched arnom gallem fynd ar ein hunion at y ffynnon agosaf i ddisychedu.

✒

FE AF YN ÔL GANRIF a hanner rŵan. Digwydd codi cylchgrawn *Y Brython* am y flwyddyn 1860, y flwyddyn pan oedd Victoria yn 41 mlwydd oed a Palmerston, y Rhydd-frydwr, yn Brif Weinidog. A'r peth cyntaf a welais oedd pennill i Victoria gan Thomas Pierce o Lanllechid, un o'r penillion a ganwyd gerbron y frenhines ym Miwmares ym mis Hydref 1859, a blwyddyn y *Royal Charter*:

> Duw! cadw ar bob awr,
> Frenhines Prydain Fawr,

Mewn hawddaf hynt:
Cylchyna'i gorsedd fry,
Â'th ofal tadol fu
Yn dŵr a chadarn dŷ
I'w thadau gynt.

Fe ganodd Thomas Pierce yr anthem genedlaethol iddi hefyd a doedd byw na marw na chaffai'r frenhines gyfieithiad o'r geiriau.

☙

MAE YNA DDAU GASTELL ym Môn, y naill na fu dan warchae erioed ac sydd yn croesawu ymwelwyr wrth y miloedd, a'r llall wedi ei anwybyddu bron yn llwyr ers naw can mlynedd. Castell Biwmares yw un a Chastell Aberlleiniog yw'r llall. Y mae'r ddau ar lan y Fenai yng nghornel dde-ddwyrain yr ynys.

Cafodd Castell Aberlleiniog ei adfer gan gymryd ei le dyladwy yng nghroniclau hanes terfysglyd yr ynys hon.

Codwyd Castell Aberlleiniog gan Iarll Caer pan oedd Gruffudd ap Cynan (1055-1137) yn dywysog Gwynedd. Pan ddihangodd Gruffudd o garchar Caer a chodi byddin fe gipiwyd y castell a'i losgi'n ulw. Mae bedd Gruffudd yng Nghadeirlan Bangor.

☙

BE' DACH CHI'N FEDDWL o ynys efo dim? Dim gwylanod, dim graffiti, dim defaid, dim hwliganiaeth, dim gwartheg, dim lladrata (lle mae popeth allan dros nos), dim medd-dod ond, ar y llaw arall, digon o groeso, digon o heddwch, digon o eifr, digon o adeiladu tai, cyfoeth o olygfeydd gwych ac o dai bwyta. Wel, os yw'r dim a'r digon yna yn apelio atoch, ynys Cyprus amdani.

Ac fe allech fynd i ganol y mynyddoedd i edrych i lawr ar y byd a gweld y bwthyn lle ganwyd y diweddar Archesgob Makarios, cyn Arlywydd Cyprus. Petai ei gartref ym Môn mae'n debyg mai hoywal, "rhiwal", fusaem ni yn ei alw, gyda'r gwartheg yn mynd i mewn, trwy'r ystafell fyw a chysgu, i'r beudy dan yr un to. Ond, hidiwch chi befo, fe gododd Makarios i arwain ei wlad i ryddid, ar wahân i ran o'r ynys a ddeil yn gaeth gan filwyr Twrci. Ar gopa un o'r mynyddoedd y mae ogof, gydag ogof lai yn y pen draw lle saif milwr nos a dydd i warchod beddrod Makarios – cistfaen o farmor du lle gorwedd y gwladweinydd mawr a berchir fel sylfaenydd gwladwriaeth Cyprus.

Yn ninas Paffos y mae olion un o eglwysi Cristnogol hynaf y byd, eglwys godwyd yn y bedwaredd ganrif. Mae olion ei phileri yn gorwedd yma ac acw ar hyd y lle ond y mae un piler yn sefyll yn ei wynder, y piler lle clymwyd Paul i'w fflangellu 39 o weithiau cyn iddo droi'r llywodraethwr Rhufeinig, Sergius Paulus, yn Gristion.

PAN OEDDWN YN FACHGEN yr oedd ceffyl ar bob tyddyn a fferm bron a phob ceffyl fel aelod o'r teulu ar lawer ystyr ond fe ddaeth y tractor a throdd y stabl yn gartref i gasgenni olew ac offer peirianyddol.

> Fe glywais dractor coch
> Yn rhuo yn y caeau,
> A gwelais geffyl trist ei wedd
> Yn edrych dros y cloddiau.

Ond da y cofia rhai ohonom ambell geffyl neu gaseg
ar ffermydd ein broydd – Dic ym Minffordd, Loffti gan
Richard Williams yn Nhy'n Llan, Corwen yn Eugrad ac
ym Mhlas Uchaf, Cymro yn Nhŷ Newydd y Glol yn Nhre-
logan, Lester a Blossom yn Stangau, Sir Gaerfyrddin. Bu
Twm yn cario glo yng Nghaeysgawen, Mona a Bet yn trin y
tir ym Mhlas Thelwal, Kim a Mari yn amaethu yn Nant Isaf
a Roger yn y Ponciau.

Bu ceffylau'n bwysig yng Nghymru ers canrifoedd. Fe
addolid y gaseg-dduwies Epona yn yr hen oes. Mae Epynt
yn golygu llwybr ceffylau, fel mae Olgra yn golygu llwybr
y gyr – gyr o geffylau, gwartheg neu eifr. Fe ddywedir
mai Hengroen oedd enw ceffyl y Brenin Arthur ac mai
Llamrai (cyflym ei charlam) oedd enw ei gaseg. Enw tebyg
i Mynglwyd (mwng llwyd) oedd enw ceffyl Llywelyn Fawr.
Fe ddywedir fod gan Llywelyn dwnnel dan y Fenai o Garth
Celyn i Fôn a bod y postyn lle rhwymid Mynglwyd i'w weld
yn selar Pen y Bryn o hyd. Hoff geffyl Owain Glyndŵr oedd
Llwyd y Bacsie.

Fuaswn i ddim yn dod i ben â rhestru'r holl geffylau
enwog mewn rasio, mewn rhyfel ac mewn hanes ond dyma
rai ceffylau adnabyddus. Yr oedd Pegasus yn adeiniog,
Beucephalus oedd ceffyl Alexander Fawr a Black Bess oedd
ceffyl Dick Turpin, y lleidr pen ffordd. Enw ceffyl Dug
Wellington, buddugwr Brwydr Waterlŵ, oedd Copenhagen
ac fe gipiodd y Prydeinwyr Morengo, ceffyl Napoleon.
Bu Morengo byw am wyth mlynedd ar ôl ei gyn-
berchennog. Ar geffyl o'r enw White Surry y marchogai
Richard y Trydydd i Faes Bosworth i gael ei ladd gan Harri
Tudur yn 1485.

Mae'n debyg mai'r ceffyl mwyaf maldodus a mwythlyd
a fu erioed oedd Incitatus (carlamus), ceffyl yr ymherawdr

Caligula. Yr oedd ganddo breseb o ifori mewn stabl o farmor. Gwisgai flanced o borffor gyda choler o aur am ei wddf ac fe gymysgid creision aur â'i geirch. Gwnaethpwyd Incitatus yn aelod o'r senedd ac fe anfonai wahoddiadau i bwysigion yr ymerodraeth i ddod i'w wleddoedd rhwysgfawr – ceffyl trwm yn wir! Fe roddwyd boneddiges o'r enw Penelope yn wraig iddo hefyd, a dyna'i fwced yn llawn!

Brown Beauty oedd y gaseg ddygn a gariodd y negesydd Paul Revere ar ei daith enwog o Charleston i Lexington ar 18 Ebrill, 1775 i rybuddio'r Americanwyr fod y fyddin Brydeinig ar fin croesi afon Charles. Fe anfarwolwyd y daith dyngedfenol honno gan y bardd Longfellow.

Mae'n debyg bod y mwyaf breintiedig ohonom o ran blynyddoedd yn cofio ceffyl ambell gowboi hefyd – Champion (Gene Autry), Diablo (y Cisco Kid), Red Fox (Jessie James), Trigger (Roy Rogers) a Blackie (y pennaeth Sitting Bull). Ac nid cowbois yn unig oedd yn gofalu am geffylau. A gofiwch chi'r ceffylau gwynion oedd yng ngofal Huw Griffith pan enillodd yr Oscar yn *Ben Hur*? Mae'n ymddangos fod ei Niebran, Antares ac Altair yn deall Cymraeg hefyd.

Os oes gennych ddiddordeb mewn rasys ceffylau fe wyddoch fod Red Rum wedi ennill y Grand National yn Lerpwl deirgwaith a bod Shergar wedi ennill yn Epsom yn 1981 cyn iddo ddiflannu am byth yng nghorsydd y Werddon.

FEDR DYN ddim llai na meddwl dau beth. Petai Cymu heb golli cymaint o'i meibion yn y Rhyfel Mawr a phetai cynifer o Gymry ddim wedi gorfod mynd i'r 'Merica, Lloegr a gwledydd eraill mi fuasai'r Gymraeg mewn sefyllfa gryfach o beth mwdral y dyddiau hyn.

Darllen rhifynnau o'r *Cyfaill* yr oeddwn am y flwyddyn 1893, cylchgrawn misol Cymraeg o'r Unol Daleithiau, yn llawn dynn dop o bregethau, adroddiadau cyfarfodydd pregethu, hanesion yr henaduriaeth, erthyglau diwinyddol, manylion cymanfaoedd, barddoniaeth, cofiannau, gwersi ysgol Sul, pregethau a marwolaethau. Mae'r cyfan wedi ei ysgrifennu mewn Cymraeg rhywiog a chyfoethog. Feddyliech chi fod yna un eglwys ar ddeg yn Nosbarth Waukesha yn Wisconsin, pedair ar bymtheg yn Nosbarth Welsh Prairie, pump yn Nosbarth Dodgeville a thair yn Nosbarth La Crosse? Ac yr oedd yr un peth yn wir am ddosbarthiadau Nebraska, Iowa, De a Gogledd Dakota, Pennsylvania, Kansas, Missouri, Efrog Newydd, Illinois a mwy, capeli Cymraeg i gyd.

Mae'n debyg fod pob bachgen dengmlwydd wedi rhoi cynnig ar smocio. Doeddwn innau ddim gwahanol i bawb arall. Cofiaf i mi amau fod Mam wedi clywed ogla baco arnaf a dyma gythru i gnoi *mint imperials* a mynd a dod dan drwyn fy mam i geisio diddymu'r dystiolaeth. Bu Mam yn adrodd y stori honno am wythnosau.

Yn y tŷ nesaf trigai Mr W. T. Lock, swyddog yn y llynges, a chanddo duniad o faco gyda'r cryfaf ar dir Môn. Doedd byw na marw na châi Terry, ei fab, a minnau roi joi o faco mewn darn o getyn byrgoes a sleifio i gornel y cae o flaen y tŷ – Cae'r Ŵyn oedd yr enw ar y cae y pryd hynny. "Byw na marw" ddywedais i? Yr oeddem yn nes at farw nag at fyw am ddyddiau ac fe gafodd unrhyw fath o faco lonydd am rai blynyddoedd.

CYDWYBOD

I'm gwely'n fachgen dengmlwydd oed
Pur euog, derfyn dydd,
Fy nhad a mam heb amau dim
Fod baco gen i 'nghudd.
Ond codi fore trannoeth wnes
Yn yfflon racs fy myd
Yn berffaith siŵr mai 'mhechod i
Oedd niwl y glyn i gyd!

"Mae hi'n ddigon oer heddiw." "Ydi, ma' hi'n gafa'l." Fe
fu hi'n oer gyda mis Mawrth yn dod i mewn fel llew, ac yn
mynd allan fel llew hefyd. Ond yng ngeiriau R. Williams
Parry, "Pa hyd y pery echelydd chwil y sioe" honno? Hidiwch
befo dwyreinwynt Mawrth eleni, meddai'r gwybodusion, at
ei gilydd bu'r tywydd yn graddol gynhesu ers deng mlynedd
ar hugain. Fe fwriedir sefydlu asiantaeth yng Nghymru i
geisio dygymod â'r newid a phenderfynu beth i'w wneud.
Ymhen deugain mlynedd fe fydd ein tymheredd gyfartal â
thymheredd Galisia yng nghornel ogledd-orllewinol Sbaen.
Pan ddaw hynny fe fydd y "gwyllt atgofus bersawr, yr hen
lesmeiriol baent" yn diflannu o Gymru ac fe fydd gofyn i'r
ffermwyr feddwl am dyfu cnydau hollol wahanol i'r rhai y
buont yn eu tyfu am genedlaethau.

MAE PAWB YN methu weithiau. Fe goronwyd Edward
y Seithfed – yr Hen Ging Ned – yn Abaty Westminster
yn 1902. Yr oedd Archesgob Caergaint yn hen ŵr eiddil

a musgrell ac fe ofnid na allai osod y goron drom ar y pen brenhinol. Rywsut neu'i gilydd fe lwyddodd, ond roedd y goron y tu ôl ymlaen.

A dyma hanesyn arall am fethiant yn hanes brenin. Fe gafodd Brenin Charles yr Ail drawiad ar y galon yn 1685 ac fe alwyd ei feddygon at erchwyn ei wely, cryn ddwsin ohonynt. Penderfynwyd cael gwared â phob gwenwyn o gorff y brenin gan ddechrau trwy dynnu dau beint o'i waed. Yna gorchuddiwyd ei gorff â phlaster cyn ei rwygo'n ddisyfyd oddi arno a llenwi ei ffroenau â snisin. Parodd hyn i'w Fawrhydi disian yn aflywodraethus. Y cam nesaf oedd eillio pen y brenin a llosgi ei gopa â heyrn poethion. Gan na ellid dweud i hyn oll fod yn llwyddiant ysgubol penderfynwyd mynd trwy'r broses eilwaith gan ei adgyfnerthu â dogn ffyddiog o bowdwr penglog ceffyl, plu brân wedi eu torri'n fân a darnau dethol o lyffantod. Er syndod i bawb methiant fu hyn oll hefyd a bu farw'r brenin ymhen pum niwrnod – o'i feddyginiaethau mae'n siŵr gen i!

FE DDYWEDODD un cyfaill, "Mae yna gymaint o bethau'n mynd dan fy nghroen i, nes bod hwnnw'n mynd yn debyg i gae o dyrchod daear."

Wel, does yna ddim llawer o bethau'n mynd dan fy nghroen i, yn barhaol felly, ar wahan i ambell *really*, *quite, so* ac *anyway* a rhyw eiriau dioglyd, difaol a di-alw-amdanynt felly wrth gwrs. Ond fe gododd ploryn y diwrnod o'r blaen pan ddarllenais y datganiad, "St. Patrick was born to an Anglo-Roman family." I mi, dyna i ni rwdl digyfaddawd. Yn ôl yr hanes fe anwyd Padrig naill ai ym Mhenfro neu ynteu yng Nghemaes, Ynys Môn. Yn sicr ni bu'r Rhufeiniaid a'r

Eingl-Saeson yn cyd-fyw ym Mhrydain. Fe ymadawodd
y Rhufeiniaid toc wedi'r flwyddyn 400 ac ni hidlodd rhyw
ychydig Saeson i'r tir o ogledd Ewrop am gryn flynyddoedd
ar ôl hynny. O'i eni ym Mhenfro neu Fôn mae'n bur debyg
mai Brython pur ydoedd Padrig ac nid Brytho-Rufeiniwr
chwaith. O ie, fe welir ambell ffilm hefyd lle mae trigolion
Prydain yn siarad Saesneg hefo'r Rhufeiniaid!

Gŵr arall fydd yn codi ambell bloryn dan y croen o dro i
dro yw'r mynach Bede a'i ddaliadau. Yn Northumbria y trigai
ef hyd ei farw yn 735 ac fe orffennodd ei draethawd ar Hanes
Eglwys y Genedl Eingl-Saesonig yn 731. I mi, mae'r ffaith
iddo ysgrifennu llyfr o werth ar unrhyw destun hanesyddol
heb symud nemor gam o'i fynachlog ar lan afon Tyne yn
codi peth amheuaeth. Hedd i'm bron felly oedd gweld
rhaglen ar y teledu yn rhoi bom eiriol dan ben ôl eistedddog
yr Hybarch Bede. Y fo roes gred i'r chwedl fod y Sacsoniaid
wedi ymosod yn un fflyd ffyrnig a soffistigedig ar Brydain a
dod â hynny oedd ar ôl o'r Brythoniaid anwar o'r coed i olau
dydd. Dim o'r fath beth. Yn ôl y gwaith ymchwil diweddar
yr oedd gwareiddiad i'w gael ym Mhrydain bedair mil o
flynyddoedd cyn hynny gyda chymdeithas amaethyddol,
grefyddol a bywyd pentrefol sefydlog ac fe ddatblygodd
felly trwy gyfnod y Rhufeiniaid ac ymlaen i'r nawfed a'r
ddegfed ganrif. Hidlo i mewn i'r drefn honno wnaeth rhai
crwydriaid o'r cyfandir ac nid oes dystiolaeth am na lladd na
llanast. Ond fe gymerodd y Brythoniaid at iaith y newydd-
ddyfodiaid gan briodi llawer ohonynt, ac yn ôl ein harferiad
erioed, dyma dderbyn yr'iàith' newydd a cheisio clôsio ati.
Wrth wneud hynny fe wnaed camgymeriadau ac impio'r
gystrawen Frythoneg arni o dipyn i beth. Yn ôl yr ymchwil
diweddaraf eto fe brofir bod dylanwad yr hen Gymraeg ar y
Saesneg yn fwy nag a feddyliwyd. Yn ôl pob DNA, does yna

fawr o wahaniaeth rhwng pobloedd Prydain – dim ond bod
rhai ohonom wedi glynu wrth yr iaith, a hir y parhaed felly.

✑

DYMA AFAEL YN Y BEIRO y diwrnod cyn priodas William
a Kate tua Llundain 'na. Dim ond heddiw tan yfory, dim
ond heddiw tan y ffair! Tydi pawb ddim yn gwirioni 'run
fath. Mae rhai ar dân dros y briodas frenhinol ac eraill yn
fflamio'r holl beth. O'm rhan fy hun mae'n rhaid edmygu'r
holl amseru trefnus a sylwi bod y ddau cyn priodi wedi
defnyddio mwy o Gymraeg nag a wnaeth unrhyw frenin na
brenhines ers i Elizabeth y Cyntaf honni bod ganddi grap
ar y Gymraeg er parch â'i gorhendaid, Owen Tudur, oedd yn
rhugl ei Gymraeg a hwnnw'n Gymraeg Penmynydd.

Sylwi hefyd ar ddylanwad Cymru ar y gweithrediadau. Fe
weinyddwyd seremoni'r briodas gan yr Archesgob Rowan
Williams (o'r un teulu â William Williams, Pantycelyn).
Cyfansoddwyd y darn "Ubi Caritas" ar gyfer y gwasanaeth
gan Paul Mealor, cyfansoddwr o Bentraeth. Bu'r ddau
dan lygad y Gwarchodlu Cymreig ac fe'u diddanwyd gan
y delynores Claire Jones. Yr oedd llawer o gerddoriaeth y
seremoni wedi ei gyfansoddi gan Charles Hubert Hastings
Parry ond mae'n debyg fod ei waed Cymreig wedi rhedeg yn
rhy denau i'w gydnabod, am a wn i. Unwaith eto fe ddaeth
aur y fodrwy o Gymru ac fe'i lluniwyd gan gwmni Wartski
yn Stryd Grafton, cwmni a sefydlwyd ym Mangor yn 1865
gan Morris Wartski, taid y cyfarwyddwr presennol. Deallir
hefyd mai anrheg priodas y Prif Weinidog oedd albwm o
luniau o hoff lecynnau y tywysog a'i briod ym Môn.

Petaent yn fyw heddiw fe fuasai yna ddau Gymro yn
falch iawn. Ar gyfer y gwasanaeth dewisodd y ddau ifanc

y tonau "Cwm Rhondda" gan John Hughes (1873-1932) a "Blaenwern", a gyfansoddwyd gan W. Penfro Rowlands (1860-1937).

Brodor o Ddowlais oedd John Hughes. Symudodd i Lanilltud Faerdre, ger Pontypridd, pan oedd yn flwydd oed. Aeth i weithio i'r pwll glo yn ddeuddeg oed ac, fel ei dad, bu'n ddiacon a chodwr canu yn Salem. Ganed W. Penfro Rowlands yng Nghwmderi, yn ardal y Preseli. Yn 16 oed roedd yn arwain côr plant ac ymhen blwyddyn fe'i penodwyd yn godwr canu. Daeth yn athro ym Mhentre-poeth ger Treforys ac yn brifathro yno tan 1924. Yn arweinydd y gân yn y Tabernacl, daeth ei ysgol yn enwog am ei chorau, ac yntau'n adnabyddus fel arweinydd Côr Undebol Treforys.

YN YSTOD FY NGHYFNOD yn Ysgol Goronwy Owen mae'n debyg na bu mwy na dau bêl-droediwr proffesiynol dros y trothwy, ond fe fu dau. Y naill oedd Aled Owen, Tottenham Hotspur a'r llall oedd Bert Trautmann, yr Almaenwr a fu'n gwarchod y gôl i Manchester City. Yr oedd Trautmann yn byw ym Mryn Haul, Benllech yn y chwedegau ac yn dad i Mark a Steven Trautmann. Yn ei ieuenctid, bu Bert yn aelod o'r mudiad Hitler Youth cyn ymuno â'r fyddin Almaenig. Fe enillodd ddwy Groes Haearn am ei ddewrder yn Rwsia a Ffrainc. Fe'i daliwyd gan y Rwsiaid ond fe ddihangodd. Fe'i daliwyd gan y Ffrancod ac fe ddihangodd. Wrth ddianc y trydydd tro fe neidiodd dros y wal gan lanio wrth draed milwr Prydeinig a'i cyfarchodd â'r geiriau, "Helo Ffrits, gym'ri di banad?"

Bu Bert yn garcharor rhyfel yn Swydd Caer ac ar ddiwedd y rhyfel dewisodd aros ym Mhrydain gan ymuno â thîm pêl-droed Manchester City fel gôl-geidwad yn 1949. Daeth yn boblogaidd am ei gampau yn y gôl a daeth i enwogrwydd pan chwaraeodd chwarter awr olaf Cup Final 1956 ar ôl torri asgwrn ei wegil. Ar ddechrau 1956 fe'i henwyd yn Bêl-droediwr y Flwyddyn ac yn 2004 fe'i hanrhydeddwyd â'r O.B.E. am ei gyfraniad i ewyllys da rhwng Prydain a'r Almaen. Gwn iddo gael dwy Groes Haearn am ei ddewrder, medal y Cup Final a'r O.B.E. a llu o lawryfon eraill ond yr hyn a gofiaf i yw fy mod wedi cael cyfarfod â gŵr bonheddig o'r radd flaenaf y bore hwnnw yn Ysgol Goronwy Owen.

DIDDOROL OEDD clywed hanes taith Merched y Wawr i Sempringham i weld cofeb Gwenllian. Mae'r enw Gwenllian ynghlwm wrth un o hanesion tristaf hanes Cymru, hanes diddymu ein teulu brenhinol, trwy ddienyddiad a charchariad pwrpasol a didrugaredd.

Priodwyd Llywelyn ap Gruffudd, Llywelyn ein Llyw Olaf, ag Eleanor de Montford trwy ddirprwy wrth ddrws cadeirlan Caerwrangon yn 1278 ac yr oedd Eleanor ar ei ffordd o Ffrainc i Gymru pan ddaliwyd hi gan filwyr Edward y Cyntaf a'i charcharu yn Windsor am dair blynedd. Gwenllian oedd unig blentyn y briodas. Lladdwyd Llywelyn yng Nghilmeri yn 1282 ac yn 1283 aed â Gwenllian, etifedd tywysogion Gwynedd, o Gymru i Sempringham. Rhoddai Edward ugain punt y flwyddyn at ei chadw. Heblaw am y berthynas deuluol mae'n debyg y buasai Edward wedi gorchymyn iddi gael ei lladd. Cymerodd Edward y teitl Tywysog Cymru ar ran y Goron a'i roi i'w fab Edward, yng Nghaernarfon yn 1301.

Treuliodd Gwenllian, neu Wencilian fel y'i gelwid, 54

blynedd ar wastadedd Swydd Lincoln heb glywed gair o Gymraeg na'i henw fel y dylai fod, a chyfeiriai tywysoges olaf Cymru ati ei hun fel Wentliane. Bu farw'n ddideulu, yn ddigartref ac yn ddigenedl yn 1337. Trefnodd Merched y Wawr wasanaeth yn eglwys Sempringham i gofio amdani.

Ond nid oedd terfyn ar anfadwaith Edward y Cyntaf ar ôl alltudio Gwenllian. Yn ôl yr hanes yn y *Western Mail* mae'n rhaid i blant ysgolion Hwngari ddysgu darn o farddoniaeth sy'n croniclo fel y bu i Edward ladd pum cant o feirdd Cymru yng Nghastell Trefaldwyn yn 1277 am wrthod rhoi eu gwrogaeth iddo. Yn awr y mae Karl Jenkins wedi cyfansoddi miwsig ar gyfer "A Walesi Bardok" (Beirdd Cymru) a gafodd ei glywed yn Eisteddfod Llangollen.

✑

YR WYF YN DDIOLCHGAR i Shirley Williams o Warwick am anfon adolygiad o lyfr Byron Rogers, *The Lost Children*.

Mae'r llyfr yn adrodd hanes yr hyn ddigwyddodd i rai plant bach yn dilyn concwest Iorwerth y Cyntaf yn 1282 a 1283. Fe garcharwyd Gwenllian, merch tywysog olaf Cymru, ynghyd â'i chefndryd a'i chyfnitherod, plant Dafydd ap Gruffudd, brawd Llywelyn ein Llyw Olaf. Aeth y genethod i leiandai a'r bechgyn i Gastell Bryste. Fe gafodd plant i garcharorion Stalin eu rhyddhau ymhen amser ond ni ddaeth rhyddid i'r plant yma ond trwy farwolaeth gan na ellid rhyddhau etifeddion teyrnas oedd yn fil o flynyddoedd oed y pryd hynny, rhaid oedd iddynt ddiflannu.

Unwaith yn unig y daeth gair oddi wrthynt. Ddeng mlynedd ar hugain wedi i'r drysau gau fe lwyddodd Owain, unig fab Dafydd oedd ar ôl yn fyw, i anfon llythyr o'i gawell o goed a haearn yng Nghastell Bryste lle tynghedwyd ef i bydru gan y brenin. Yr oedd Iorwerth wedi marw a daeth y llythyr i ddwylo llywodraethwyr ei fab, Iorwerth yr Ail. Yr oedd rhywun wedi synnu cymaint o dderbyn y fath lythyr fel iddo sgriblo ar ei draws, "Holed pwy a'i hanfonodd." Yr oeddynt wedi anghofio'r cyfan am Owain.

Yn y llythyr mae Owain yn dweud ei fod yn 36 oed, yn garcharor ers 29 mlynedd ac fe ymbiliai am yr hawl i gerdded y tu allan i'w gawell cyfyng o dro i dro. Gwyddys ei fod yn fyw wyth mlynedd ar ôl hynny gan iddynt newid ceidwad ei garchar, ond dim sôn amdano byth ar ôl hynny.

Rhoddwyd dwy chwaer Owain mewn lleiandy yn Sixhill heb fod ymhell o Sempringham.

Dygwyd Gwenllian, merch Llywelyn, yn faban yr holl ffordd o fynyddoedd Eryri i leiandy Sempringham ar wastadedd corsiog Swydd Lincoln lle bu farw yn 1387 yn 54 oed. Yn ôl un cofnodydd a'i cyfarfu, Peter Langtoft, yr oedd yn foneddiges urddasol a chwrtais, ac o'i hanfodd fe'i gwnaed hi yn lleian cyn pryd.

AM RYW RESWM, os oes angen rheswm hefyd, fe fûm yn meddwl sut le oedd yna ym Mhrydain pan ddaeth y milwyr Rhufeinig proffesiynol yma ac ymosod ar ein cyndadau. Yr Home Guard yn erbyn y Panzers oedd hi mewn gwirionedd. Wrth gwrs, dim ond adroddiadau'r concwerwyr sydd ar gael ac fe wyddom yn iawn mor gelwyddog yw awduron y rheini ac mor anwybodus fuont erioed o ddiwylliant y gorchfygedig.

Pan gyrhaeddodd y Rhufeiniaid yr oedd yna dylwyth o Geltiaid, y Dofynni efallai, yn byw ger tarddiad afon Tafwys, heb fod ymhell o'r fan lle mae Rhydychen erbyn hyn a'r lle saif tref Cricklade heddiw. A dweud y gwir, y mae enw'r lle yn dweud dipyn o'r hanes – Crick yn golygu bryncyn, meddylier am Crug-y-bar, Cricieth, Crucywel, cruglwyth, crigyll (crugyll). Ac os am fryncyn mawr yn Lloegr, dyna i chi Penkridge i'r gogledd o Wolverhampton. Ac fe'i ceir yn Cricklewood ger Llundain hefyd, ac yn enw'r gêm *cricket* petai hi'n mynd i hynny ond fe soniwyd am hynny o'r blaen. Gair o'r hen Saesneg yw *lade* yn golygu bwlch, rhyd neu le i groesi'r afon, ger y bryn neu'r crug felly.

Ond mynd i grwydro wnes i eto ac fe awn yn ôl at yr hanes. A chan swyddog o'r enw Ostoriws ym myddin y Rhufeiniaid y cawn yr hanes hwnnw. Dywedai fod y Celtiaid yn gwisgo tiwnigau gwlân lliwgar a lliwio'u gwalltiau â thrwyth y glaslys. Yn ôl Ostoriws yr oedd eu llygaid yn melltennu ffyrnigrwydd bygythiol ac aruthr.

Yr oedd y Dofynni wedi codi pentref ar fonion coed yng nghorsydd glannau'r afon ac yn y flwyddyn 84 cyrchodd y Rhufeiniaid i fyny'r dyffryn o Lud (yn ôl y Celtiaid) neu Londinium yn ôl y Rhufeiniaid, a'u bryd ar goncwest. Fe'u gwelwyd gan y Dofynni o'u hanheddau uchaf ac anfonwyd marchog i darddle'r afon lle trigai'r pennaeth. Roedd y llwyth yn barod i ymladd hyd angau. Galwyd ar y pentrefwyr i hwylio'u cerbydau rhyfel. Gadawodd y merched eu coginio, eu nyddu a'u gwau a throi ati i hogi'r cyllyll a'r cleddyfau, y crymanau a'r pladuriau. Curwyd polion i'r mwd i atal ceffylau'r Rhufeiniaid rhag croesi'r rhyd. Ond gwthio ymlaen wnâi llengoedd y gelyn er i lawer ohonynt ddisgyn a chael eu rhwygo ar gyllyll miniog cerbydau'r Dofynni. Ond yr oedd y gwaywffyn hirion yn angheuol yn nwylo'r Rhufeiniaid ac fe ataliwyd y cerbydau. Dyn am ddyn a gwaed am waed oedd hi wedyn a phrofiad a llurigau'r Rhufeiniaid yn ennill y dydd. Ysgrifennodd Ostoriws:

Cyn nos yr oeddem wedi camu dros eu cyrff at yr afon. Yng ngolau'r tanau nid oedd modd gwahaniaethu rhwng pyllau'r dŵr a'r pyllau gwaed. Gorweddai aelodau dynol ymysg y brwyn a'r hesg, cerbydau, ceffylau a chyrff dynion yn driphlith draphlith ar draws ei gilydd. Doedd dim trefn ar ymladd y Dofynni, rhanasent eu hunain yn garfanau yn lle tynnu'n ôl ac ail-drefnu'n uned lwyddiannus.

Brwydrwyd am ben uchaf dyffryn Tafwys ar dywydd gwlyb. Trodd gwyneb y meysydd yn llaid a suddodd olwynion y cerbydau i'r figin. Amgylchynwyd y Dofynni gan y Rhufeiniaid, eu dal a'u carcharu mewn gwersylloedd palis. A dyna fu hanes y Celtiaid erioed, ymrannu a cholli'r frwydr olaf.

Erbyn hyn fe geir olion ffynnon Rufeinig lle cyfyd y dŵr fu'n cynnal prifddinas Lloegr am ddwy fil o flynyddoedd.

Y DIWRNOD O'R BLAEN yr oedd rhywun yn sôn am oruchafiaeth gobaith dros y gwirionedd. Mae'n debyg mai fy mhrofiad i o beth felly oedd fy mlynyddoedd yn Ysgol Llanfair-pwll. Pan genid y gloch i ddynodi amser chwarae fe fyddai nifer fawr o'r plant yn ciwio am y cyfle i ganu'r gloch i ddod yn ôl i mewn. Byddai tuag ugain ohonynt yn wên i gyd yn y rhes gyda dim ond y cyntaf yn y ciw yn sicr o'i swydd fel clochydd. Tybed oes rhywun arall heblaw fi yn gweld colled ar ôl diniweidrwydd ffyddiog a chynhesol felly?

A WELAIS ac
a GLYWAIS (vii)

— Ma' tro yn ei gwt e (De).
Does dim dal arno (Gogledd).

— Y peth gorau at salwch môr
yw eistedd dan goeden.

— Un o fanteision aflerwch yw
dod ar draws pethau diddorol o hyd.

Yr Hyn a Fu

YCHYDIG DDYDDIAU cyn i mi ysgrifennu hyn o lith fe ddaeth tîm rygbi Wlster i Stadiwm y Mileniwm yng Nhaerdydd. Doedd yno ddim prinder o faneri Wlster, gyda llaw goch fflamgoch ar bob un ohonynt, "The Red Hand of Ulster". Bûm yn dyfalu beth oedd arwyddocâd y llaw goch, a'r tro yma dyma fynd i chwilio. Yn ôl y chwedl nid oedd gan deyrnas Wlster etifedd i'w brenhiniaeth ac felly trefnwyd ras gychod gyda pherchennog y llaw gyntaf i gyffwrdd Wlster i fod yn frenin ar y wlad. Pan sylweddolodd un cystadleuydd ei fod yn debyg o golli'r ras ni allai feddwl am ddim gwell i'w wneud na thorri ei law i ffwrdd wrth yr arddwrn a'i thaflu i'r lan. Felly cafodd Wlster frenin, a baner.

Mae gan Gymru ei llaw goch hefyd, sef Owain Lawgoch, neu i roi ei enw llawn iddo Owain ap Thomas ap Rhodri (1330-1378). Milwr oedd Owain oedd yn fodlon rhoi help llaw i bawb oedd yn ymladd yn erbyn Lloegr. Bu'n ymladd yn Sbaen, Ffrainc, Alsás a'r Swistir. Milwr i Ffrainc ydoedd yn ystod Rhyfel y Can Mlynedd. Fel disgynnydd i Llywelyn Fawr gallai hawlio coron Gwynedd gan fod Gwenllian, a'i chyfnither Gwladys, wedi eu cadw mewn cwfaint, a meibion Dafydd (brodyr Gwladys) wedi eu carcharu ym Mryste hyd eu marw. Cafodd brawd Llywelyn Fawr, Rhodri ap Gruffudd, un mab, Tomos, a'i fab o oedd Owain Lawgoch.

Digon tawedog a digynnwrf fu bywyd Rhodri a Tomos mewn maenor o'r enw Tatsfield, 17 milltir o Lundain ac y mae ffordd o'r enw Maesmawr Road i'w chael yno o hyd. Gan fod Owain yn Ffrainc hyd 1369 fe gollodd ei diroedd i gyd. Yn 1377 cafodd Lloegr achlust fod Owain yn cynllwynio ymosodiad arall ac fe anfonwyd Sgotyn o'r enw John Lamb i'w lofruddio. Derbyniwyd Lamb fel siamberlên gan Owain ac yn 1378 fe gafodd ei lofruddio ganddo. Claddwyd Owain Lawgoch yn eglwys Saint-Leger ym Mortagne lle codwyd cofgolofn hardd iddo yn ddiweddar.

Dadorchuddiwyd cofeb ym mharc Mortagne sur Gironde ger Bordeaux, Ffrainc i gofio Owain Lawgoch, marchog yn Ffrainc a fu farw dros Ffrainc a Chymru, ei wlad enedigol, ac a laddwyd yn 1378 gan John Lamb, y bradlofrudd. Ar y llechen mae'r geiriau:

Er cof am Owain Ap Tomos
Tywysog Cymru
Et chevalier de France
Mort Pour La France et sa Patrie
1378

Yn wahanol i'r sefyllfa yn yr Alban fe lwyddodd coron Lloegr i ladd neu i garcharu pob aelod o deulu brenhinol Cymru.

Bu'r siopau bychain yn cau fesul un a dwy a ninnau'n gwarafun eu colli. Erbyn hyn mae'r siopau mawrion yn cau hefyd, siopau fel siop David Morgan yng Nghaerdydd, Wartski, Woolworth, Polecoff a Littlewoods ym Mangor ac un neu ddwy arall yn Abertawe.

Bu'r Cymry yn ddylanwadol iawn yn y fasnach siopau yn Llundain a dinasoedd eraill: Owen Owens, Lewis's, John Lewis, D. H. Evans, a hyd yn oed Barker's yn Kensington gan i Jabez Williams o fwthyn Minffordd Isaf yn y Benllech fod yn ddylanwadol iawn yn ffyniant y siop honno.

Dro yn ôl fe gaewyd un o siopau hynaf y wlad wedi 170 mlynedd o fasnachu. Y siop honno yw siop Dickins & Jones. Yr enw gwreiddiol ar y siop oedd Dickens, Smith & Stevens ac fe symudodd i Regent Street yn 1835, stryd siopau amlycaf Llundain. Yr adeg honno sidanau a llieiniau a werthid ynddi, y busnes yn deillio o siop fechan a sefydlwyd gan Thomas Dickens a William Smith yn Regent Street yn 1803. Newidiwyd enw'r siop yn 1856 pan fu Dickens farw gan adael y busnes i'w ddau fab. Gwahoddodd y meibion John Pritchard Jones o Niwbwrch i fod gyda hwy yn y busnes. Ffynnodd eu masnach trwy werthu i'r dosbarth canol oedd yn teithio i Lundain ar y bysiau ac ar y trenau tanddaearol newydd ac yn 1890 roedd y siop yn ymorol am anghenion y teulu brenhinol a'r byddigions.

Yn 1914 dechreuodd y siop newid dwylo – i Harrods ac yna House of Fraser. Codwyd y rhent o chwarter miliwn yn 2003 i bedair miliwn a hanner yn 2005 a rhaid oedd gwerthu. O hyn ymlaen rhesiad o siopau llai fydd yn y stryd lle bu John Pritchard Jones yn teyrnasu ymysg y dilladau ac yn cofio'n hael am ei bentref a'i fro enedigol gan iddo godi canolfan yn Niwbwrch a Neuadd Pritchard Jones yng Ngholeg y Brifysgol ym Mangor.

Y MAE'R HEARTWELLS yn un o hen deuluoedd Charlottesville yn Virginia. Pan oedd y mab, Proal, yn laslanc ef fyddai'n ymorol am elfennau'r cymun ac yn canu'r gloch yn eglwys Sant Andreas, Lawrenceville. Ar ddiwedd y gwasanaeth crwydrai allan i'r fynwent a chysgodai dan ganghennau'r dderwen fawr. Disgynnai ei lygaid ar y groes wenithfaen wen gerllaw. Gwyddai mai coffâd i offeiriad a bardd ydoedd, offeiriad o'r enw Goronwy Owen a ddigwyddai fod yn adnabyddus yn rhywle yn y byd. Câi ei hun yn gofyn pwy ar wyneb y ddaear, mewn gwirionedd, oedd Goronwy Owen.

Aeth Proal Heartwell i'r coleg, cymhwysodd ei hun yn athro, priododd ac un diwrnod tyngedfennol daeth â'i ferch fach Elise i gerdded ei hen fro a mynwent eglwys Sant Andreas yn Lawrenceville. Yr oedd drws yr eglwys ynghlo ac felly dechreuodd ddweud hanes ei blentyndod wrth ei ferch a'i ffrind. Daeth yn amser ymadael a cherddasant at y car yn y maes parcio. Gyda hynny trodd Elise ei golygon at y groes wenithfaen wen a gofynnodd, "Dad, pwy ydi Goronwy Owen?"

A dyna ddechrau pethau. Holi a stilio, chwalu a chwilota. O hynny ymlaen rhannodd Proal ei fywyd hefo Goronwy Owen gan dyrchio yn archifau Coleg William a Mary yn Williamsburg, yr archifau eglwysig a chofnodion Virginia, cyn croesi'r Iwerydd i droedio llwybrau'r bardd yn Llanfair Mathafarn Eithaf, Llaneugrad a Phenrhosllugwy. Coronwyd y cyfan trwy iddo gyhoeddi cyfrol swmpus, gynnes a darllenadwy o hanes Goronwy'r alltud yn Virginia, *Goronwy and Me: A Narrative of Two Lives*, cyfrol werthfawr yn datgelu hynt a helynt un o feirdd gorau Cymru wedi iddo adael ei famwlad. Hyfryd eto eleni oedd derbyn cerdyn Nadolig gan ddisgynyddion Goronwy Owen (John a Mary Owen) gyda chlamp o gyfarchiad tymhorol yn iaith eu hynafiad. Mae'n felys deall fod y teulu yn dal i gyfarch a chanu yn Gymraeg. Ar glawr y cerdyn yr oedd neges, amserol iddynt hwy, yn

Saesneg: "Efallai i Dduw ddefnyddio plu eira i ysgrifennu ar ffurfafen y gaeaf, ei neges o heddwch, gobaith a chariad."

A braf oedd cael llythyr Nadolig gan Proal Heartwell o Virginia, awdur y gyfrol *Goronwy and Me*. Mae Proal yn dal i fynd o gwmpas Virginia a thaleithiau eraill i sôn am Goronwy ac yn addo dod eto i Fôn ac i Fro Goronwy. Fel y dywed Proal, mae'n dal i ledaenu "efengyl Goronwy" pryd a lle bynnag y gall. Darlithiodd am gyfnod Goronwy yn Virginia yn y Gynghadledd Ryngwladol Astudiaethau Cymreig a gynhaliwyd ym Mhrifysgol Harvard. Ofnaf nad yw Proal yn hapus iawn gyda chyflwr tŷ a beddrod Goronwy ond fe fydd yn ymweld â hwy yn y gwanwyn.

Daeth llythyr oddi wrth John a Mary Owen, John yn ddisgynnydd i Robert, mab Goronwy Owen, i ddweud eu bod yn edrych ymlaen at gael dod i Gymru ym mis Gorffennaf gyda Chôr Cymreig Capel Rehoboth. Gobeithiant ganu yng Nghaerdydd, Ceredigion a Llandudno. Mae'n braf meddwl fod y Gymraeg yn dal yn agos at galon John a bod gan deulu Goronwy ddiddordeb yn y Gymraeg o hyd.

WYT TI'N COFIO pan nad oedd ceir yn mynd heibio'r tŷ, pan oeddem yn mynd heb bethau da ac yn ymolchi mewn dŵr oer? Wyt ti'n cofio cadw'n gynnes ar un rhawiad o lo a heb weld yr un banana? Wyt ti'n cofio'r leino oer ar lawr, dim ffrij, dim stafell molchi, dim gwres na theledu? Wyt ti'n cofio'r British Restaurant yn Deiniol Road ym Mangor hefo'r llwyau te ar gadwyn a dim McDonalds? Wyt ti'n cofio bwyta bresych o ardd pawb gyda chynrhon rhwng eu dail, pan olchid dillad hefo Rinso a thalpiau o garbolic coch, pan oedd soda'n troi'r dwylo'n gignoeth wrth olchi llestri a phob radio'n un *bakelite* ac yn clecian fel clindarddach eithin ar dân? Ac wyt ti'n cofio mynd â'r botel batri i'r garej, pan oedd gyrrwr a chondyctor ar bob bws a sindars a llwch trên ym mhob llygad? Wyt ti'n cofio Dad yn smocio Woodbines pan oeddem yn chwarae top ac yn lladd Indians ac yn cael pacedi gleision o halen hefo'r *crisps*? Maent i gyd yng nghof ambell un.

✭

FEL HYN Y BU TAITH ffarwél Islwyn Ffowc Elis, fel y'i ceir yn ei gyfrol *Cyn Oeri'r Gwaed*. Rhaid oedd iddo ymweld â Bro'r Arwydd wrth gwrs ac fe awn ninnau gydag ef!

Mi awn i weld Môn unwaith eto. Nid am fod llawer o harddwch yn ei milltiroedd gwastad, di-goed. Ond am fod rhyw henaint tawel ar ei herwau hi. Y beudai sy'n cysgu mor llonydd a'r glesni o ben Mynydd Eilian ar ddydd o haf. Byddai'n rhaid imi fynd mewn trên dros Bont y Borth rhwng y pedwar llew tew, a newid a mynd mewn cerbyd bach bregus hyd y ffordd i Langefni. Ond mae harddwch hefyd ym Môn. Mae harddwch ym Menllech, ac am a wn i nad yw'r garafan yno o hyd lle y buom ni'n ffrio pysgod ffres o'r bae gyda thatws newydd a phŷs, a chysgu'n drwm yn aroglau'r heli gyda'r haul yn ysfa yn ein crwyn. Mae harddwch ar y ffordd o'r Borth i Fiwmares, rhwng y coed a'r muriau Sbaenaidd, a mynyddoedd Arfon ar eu pennau ym Menai las. Mi awn eto i Fôn. Ac ni wnawn ond galw eto wrth fedd Branwen a thynnu fy het yn y machlud a symud yn ddistaw, rhag digwydd ei thynged i minnau cyn gorffen fy nhaith ffarwél.

❧

CLYWSOM SÔN am ochr annymunol ac annynol y Rhuf-einiaid, ddwy fil o flynyddoedd yn ôl. Yn Alexandria, yng ngwlad yr Aifft, fe gaed llyfrgell enwocaf yr oesoedd, a godwyd gan linach brenhinoedd Ptolomy rhwng 322 a 246 Cyn Crist. Hyd yn oed yr adeg honno yr oedd llyfrgell Alexandria, mewn strwythur a gweinyddiad, yn ymgorffori llawer iawn o'r adnoddau a geid yn llyfrgelloedd mwyaf ein prifddinasoedd heddiw. Roedd ynddi ystafelloedd darllen, ystafelloedd darlith a ffreutur i'r myfyrwyr ac fe anfonid negeswyr i brynu eitemau prin a drudfawr yn ffeiriau llyfrau Athen ac ynys Rhodes. Yn y llyfrgell yr oedd cadwrfa llenyddiaeth gynnar y Groegiaid ynghyd â gweithiau ar athroniaeth, mathemateg a geometreg. Ond doedd hynny'n menu dim ar yr ymherawdr Aurelianws pan chwalodd yr adeilad yn llawr maes yn 273 o Oed Crist. Fe ddywedwyd, pan glywyd am y weithred ysgeler hon, fod y byd yn beichio wylo.

❧

YN 93 OED BU FARW Ken Rees, is-gapten yn yr Awyrlu, a fu'n beilot ar yr awyrennau fu'n gollwng bomiau ar yr Almaen yn ystod y rhyfel. Daeth ei ddyddiau fel peilot i ben pan saethwyd ei awyren i lawr a'i gymryd yntau'n garcharor rhyfel. Ken oedd yr olaf o'r carcharorion fu'n twnelu eu ffordd o Stalag 111 ym mis Mawrth 1944. Pan gyhoeddodd Hollywood y ffilm enwog *The Great Escape* yr oedd llawer yn gweld tebygrwydd rhwng Ken Rees a'r cymeriad styfnig, gwrthryfelgar a dewr a bortreadwyd gan Steve McQueen. "Ie, felly roeddan nhw'n dweud," meddai Ken Rees. "Ar wahân i'r ffaith ei fod e'n Americanwr chwe troedfedd a finne'n Gymro ychydig dros bedair troedfedd oedd yn methu reidio moto-beic!"

◈

ANODD YW PEIDIO DYFALU sut ffurf oedd ar arwynebedd arfordir Benllech cyn codi'r holl dai a chyn dyfodiad yr holl garafannau a phebyll. Yn 1886 yr oedd ambell fwthyn pysgotwr i'w weld a rhes o dyddynnod ysgwydd yn ysgwydd ar hyd y glannau. Mae'r mwyafrif ohonynt ar gael o hyd, Tŷ Croes ger y Borthwen, Pen Coed, Benllech, Tyddyn Iolyn a'r Fferam cyn cyrraedd Plas Thelwal ar gyrion y Traeth Coch.

Yn ddiweddar cefais ddarn o bapur i gynhyrfu'r dyfroedd. Darn o bapur yw o'r Greigle, tŷ a godwyd ar dir oedd unwaith yn rhan o dir Tyddyn Iolyn. Fe ymddengys fod gwerthiant wedi bod ar ddarnau o dir Tyddyn Iolyn yn 1886. Y tebyg yw fod peth tir, 1,250 o lathenni sgwâr, wedi ei werthu ar gyfer codi'r Greigle. Gwerthwyd tir i ddau o ddynion lleol, Owen Lewis Williams a Charles Owen, un darn i Henry Wiliams Bulkeley o'r Baron Hill ac, yn rhyfeddach na hynny, ddarn o dir Tyddyn Iolyn, Benllech, Llanfair Mathafarn Eithaf i'r Most Noble Henry, Duke of Wellington.

◈

NID BOD HYNNY'N digwydd yn aml iawn y dyddiau hyn ond bob tro yr aem yn agos i Lanymddyfri byddai rhaid picio i weld cofeb Llywelyn ap Gruffudd Fychan (Llywelyn ap Gruffudd ap Madog) ger y castell. Mae'n gofadail fawreddog o ddur ar ffurf marchog astellog a chleddyfog ac yn amlygiad coeth o waith y gof Tobi Petersen, mab y poblogaidd Jack Petersen, paffiwr medrus a roes y gorau i'r grefft honno oherwydd y doluriau a gafodd i'w lygaid.

Priodol yw i ni gofio Llywelyn ap Gruffudd Fychan a ddienyddiwyd ger porth y castell gan filwyr Harri'r Pedwerydd ar 9 Hydref 1401 am iddo eu harwain oddi ar drywydd Owain Glyndŵr a gwrthod datgelu lleoliad pencadlys y tywysog.

GWELAIS RAGLEN yn sôn am anfadwaith yr Ysbaenwyr yn cam-drin a lladd tylwythau'r Inca a'r Aztec yng ngogledd De America – lladd llwythau a gyrhaeddodd safon uchel o ddiwylliant a chelfyddyd, a difrodi gwareiddiad a gymerodd genedlaethau i sefydlu ei hun. Tebyg oedd ymateb y dyn gwyn mewn llawer gwlad, "Os nad ydych yn eu deall nhw, lladdwch nhw." Fe ddigwyddodd ym Môr y De, i'r Indiaid Cochion yn yr America ac i filoedd o frodorion Affrica. Daeth hyn yn fyw i'm meddwl wedi i mi fenthyca'r llyfr *Dringo'r Andes* gan Idris Thomas. Fel hyn y mae'n disgrifio'r sefyllfa yn yr Ariannin pan aeth y Cymry yno bron ganrif a hanner yn ôl:

> Trist yw meddwl fod hen genhedloedd mor dawel, mor addwyn, o gynheddfau cryfion, iach, gorff a meddwl, mor hen eu haniad, mor swynol eu hanes, – mor anrhaethol drist yw meddwl bod y dyn gwyn, gyda'i Gristnogaeth a'i ddiod damniol, yn ysu ac yn difa fel tân pa le bynnag yr elo. Dyna gwestiwn sydd wedi dwys-lithro drwy fy nghalon ganwaith wrth synfyfyrio ar hanes brodorion crwydrol pob gwlad: Indiaid Cochion Gogledd America, Maoris swynhudol Seland Newydd, a hen gyfeillion fy mebyd innau yn Ne America. Nid yw'r Hisbaenwr un

gronyn gwaeth na'r Ianci a'r Sais yn hyn o beth; difa brodorion a chenhedloedd bychain ydyw pechod parod pob un ohonynt – ond sut mae cysoni eu gweithredoedd â dysgeidiaeth y Testament Newydd sy'n bwnc rhy ddyrys i mi ei gyffwrdd. Ond mae'r trueni a'r tristyd wedi suddo i eigion fy nghalon filwaith wrth deithio'r peithdir glân, distaw, yn nhawelwch nos ac yng ngolau gwyn y lloer.

Pan ddechreuodd Llywodraeth Ariannin erlid yr hen frodorion yn 1880, bu'r Wladfa yn eiriol trostynt dro ar ôl tro, eithr hollol ofer fu pob ymgais i lareiddio dedfryd haearnaidd y llywodraethwyr. Lladdwyd cannoedd yn y rhyfel anghyfiawn, anghyfartal, aed â channoedd yn garcharorion i'r brifddinas, Buenos Aires, a rhannwyd hwy rhwng mawrion y wlad fel caethweision.

ROEDD DOREEN ROSCOE WILLIAMS yn awyddus iawn i weld y penillion canlynol yn ymddangos yn *Yr Arwydd*. Chwarae teg i Doreen am sefyll dros y merched, fe fuasai llawer mwy o'n capeli wedi cau heb eu dycnwch hwy. Yr oedd y brodyr yn dda pan oedd angen milwrio dros yr Achos ond pan ddeuai'n amser i roi sodlau yn y ddaear, wel, y chwiorydd amdani:

> Nid gan ferch bradychwyd Iesu,
> Nid gan ferch y ca'dd ei wadu,
> Merched oedd yn glynu'n ffyddlon
> Pan y ciliai'r apostolion.
>
> Pwy oedd wrth y groes ddiwethaf?
> Pwy oedd wrth y bedd yn gyntaf?

Nid y meibion ond y gwragedd,
Hyn a rydd in ryw anrhydedd.

✍

FÛM I ERIOED yn bleidiol i egwyddor y "dyro rhywbeth ar dy ben" er bod gennyf gap stabal, ac un o'r creadigaethau gwlanog a lliwgar hynny sy'n cau'n glyd fel maneg am fy ngwegil a'm clustiau fel pen matsien. Os rhywbeth, mae'n well gen i fentro'r cap stabal gefn dydd golau gan fod y cap gwlân yn gwneud i mi feddwl am yr hen John Hetherington druan, dyfeisydd yr het silc uchel. Yn 1797 fe'i cymerwyd i'r ddalfa a'i gyhuddo o ymddwyn yn afreolus gan "ymddangos ar y ffordd fawr yn gwisgo adeiladwaith uchel a llathr ar ei ben gyda'r bwriad o ddychryn pobl ddiniwed".

✍

BU AMBELL LYFR HANES yn gyndyn iawn i roi'r clod i'r Cymry am fuddugoliaeth fawr y brenin Iorwerth y Trydydd dros y Ffrancod yn Crécy yn 1346. Bwawyr o Lantrisant ym Morgannwg oedd nifer fawr o fyddin Iorwerth a dywedir iddynt ymladd gyda chryn ddewrder a gwrhydri i warchod pont a groesai afon Somme. Galwyd y Cymry wrth yr enw "y Fyddin Ddu" ac yr oedd iddynt enw da fel milwyr gwrol cyn brwydr Crécy hyd yn oed. Ffurfiwyd y lleng gan Arglwydd Raglaw Morgannwg, Hugh Despenser, a chawsant eu henwi'n Fyddin Ddu oddi wrth y rhesen ddu oedd ar darian Despenser.

Ni ellid croesi'r rhyd ar afon Somme ond ar y trai ac fe'i hamddiffynnid gan dair mil o Ffrancod, a chatrawd o fwawyr enwog o Genoa. Arweiniodd Despenser ei filwyr dros y rhyd gan golli nifer o'i ddynion. Yr oedd un ar ddeg o fwawyr yn ei reng flaen gydag un ar ddeg arall y tu ôl iddynt yn tanio dros eu pennau. Yr oedd eu saethau mor gyson ac mor rhyfeddol o gywir fel na allai'r Ffrancod ddal eu tir. Yna aeth Despenser â'i ddynion i dir uwch gan arwain gweddill y fyddin mewn da bryd i osgoi'r llanw. Ddeuddydd yn ddiweddarach gorchfygwyd byddin y Ffrancod yn Crécy. Rhoddwyd rhyddfraint tref Llantrisant i'r bwawyr dewr ac fe ddeil eu disgynyddion y fraint honno hyd y dydd heddiw.

YR OEDD CYMYDOG i ni yn cwyno gan y ddannoedd, yn grwgnach mor anodd oedd cael deintydd ac yn gwaredu ei fod yn gorfod talu cymaint am gael trin ei ddannedd. Fe ddylem i gyd fod yn ddiolchgar nad oeddem yn cnoi ac yn treulio'n dannedd naw mil o flynyddoedd yn ôl. Yn ddiweddar fe gafwyd tystiolaeth eu bod yn medru tyllu a llenwi dannedd y pryd hynny trwy ddefnyddio ebillion callestr.

Fe ddarganfuwyd casgliad o ddannedd wedi eu tyllu mewn mynwent ym Mhacistan, sydd yn profi bod dannedd yn cael sylw dair mil o flynyddoedd yn gynt nag yr oedd neb wedi dychmygu. Byddid yn tyllu'r dannedd, heb anesthetig, trwy droi'r ebillion â bwa a llinyn. Felly y ceid gwared â'r rhan bydredig o'r dant, ac fe gafodd dant un cwsmer ei dyllu ddwywaith. Y dannedd cefn oedd yn cael triniaeth fel arfer ac ni ŵyr neb beth a ddefnyddid i lenwi'r tyllau gan fod olion y llenwad hwnnw wedi hen ddiflannu.

MAE'N DEBYG BOD egwyddorion yn newid hefo'r oes. Dyw pethau oedd yn iawn gan mlynedd yn ôl ddim yn iawn heddiw, ac nid oedd pethau sy'n iawn heddiw yn iawn ganrif yn ôl. Ac yn aml nid oes angen ond un dyn i newid egwyddorion oes gyfan. Gŵr felly oedd William Wilberforce, a gafodd ei faen i'r wal yn 1807 wedi hir ymdrech i ryddhau holl gaethion yr Ymerodraeth Brydeinig. Ac er mawr gywilydd i ni, mae'r enwau Cymraeg yn frith ymysg y meistri caeth-weision. Does ond gobeithio eu bod yn garedig wrth y teuluoedd oedd i etifeddu a dwyn eu henwau.

Yn yr ail ganrif ar bymtheg yr oedd gan y dynion gorau eu caethweision. Yn ôl cyfrifon stad Goronwy Owen yn 1770 yr oedd ganddo bedwar. Gwraig oedrannus oedd Peg Old ac felly roedd hi'n werth deuddeg punt a chweugain. Yr oedd mwy o waith yn Young Peg ac felly ei gwerth hi oedd deugain punt. Yr oedd y bachgen Bob yn werth £30 a Stephen, oedd yn hŷn, yn £15. Ac o gymhariaeth, teirpunt oedd gwerth pecyn o awduron Groeg, Lladin, Hebraeg a Chymraeg ynghyd ag un gramadeg Ffrangeg. Fe gafodd John Newton dröedigaeth a'r adeg honno fe ysgrifennodd:

> Amazing Grace – how sweet the sound
> that saved a wretch like me!
> I once was lost, but now am found,
> was blind, but now I see.

Capten llong oedd John Newton ac yn yr oes honno nid oedd ei dröedigaeth yn 1748 na'i egwyddor yn caniatáu iddo roi'r gorau i gludo caethweision am chwe blynedd arall.

✎

GERALLT GYMRO (1146-1223) oedd un o'r llenorion Lladin gorau a godwyd yng Nghymru erioed. Ei weithiau mwyaf nodedig yw ei gyfrolau am Iwerddon a Chymru.

Y mae Môn yn ynys sych a charegog, yn aflunaidd ac anhyfryd yr olwg; yn debyg iawn ei hansawdd allanol i wlad Pebidiog, sydd yn ffinio ar Dŷ Ddewi. Eithr yn dra gwahanol iddi, er hynny, yng nghynhysgaeth fewnol ei natur. Canys y mae'r ynys hon yn anghymarol fwy cynhyrchiol mewn grawn gwenith na holl ardaloedd Cymru; yn gymaint felly ag y mae'n arfer diarhebu'n gyffredin yn yr iaith Gymraeg, 'Môn, Mam Cymru.' Oherwydd pan fyddo'r ardaloedd eraill ym mhobman yn methu, y mae'r wlad hon, ar ei phen ei hun, yn arfer cynnal Cymru i gyd â'i chnwd bras a thoreithiog o ŷd.

PETAECH YN CYMYSGU Twm Siôn Cati, y môr-leidr Harri Morgan a James Bond fe fuasech yn cael rhywun tebyg iawn i Huw Owen o'r Plas Du, Sir Gaernarfon. Wn i ddim pa ddaliadau crefyddol oedd gan Harri Morgan a James Bond ond yr oedd Huw Owen yn Gatholig i'r carn ac fe wnaeth bopeth yn ei allu, yn agored ac yn guddiedig, i alltudio Protestaniaeth o'r wlad ac yr oedd ei fynych gynllunio'n cynnwys teyrnladdiad. Cynllwyniodd i ladd y Frenhines Elisabeth a'r Brenin Iago'r Cyntaf. Y fo roddodd Guy Fawkes ar ben y ffordd i chwythu'r Tŷ Cyffredin yn lludw llwyd a fo hefyd drefnodd i'r Armada ymosod ar Brydain a thrwy hynny osod brenin Catholig ar yr orsedd. Does ryfedd iddo gael ei alw'n "ddirgel derfysgwr rhyngwladol" gan ei fod yn trefnu'r holl bethau hyn o ddiogelwch Fflandrys. Ac er i wŷr y frenhines a dynion fel Syr Francis Drake a'r heddlu cudd wneud eu gorau glas i roi terfyn ar ei branciau peryglus, fe fu Huw Owen farw o henaint yn ei wely yn Rhufain, yn offeiriad ordeiniedig yr Eglwys Gatholig.

✏

MI GOFIAF MOR SIOMEDIG oedd pobl Môn ym mis Mehefin 2007 o glywed fod ffenestri hanesyddol Eglwys Credifael Sant ym Mhenmynydd wedi eu malurio. Yr oedd un ffenestr yn arddangos rhosyn coch a gwyn y Tuduriaid. Yr oedd y rhosyn deuliw yn symbol o uniad rhosyn coch y Lancastriaid a rhosyn gwyn yr Iorciaid. Fe roddodd Harri Tudur ddiwedd ar Ryfel y Rhosynnau trwy drechu Richard III ar Faes Bosworth. Y mae'r lili ar ben pob sedd er cof am Catherine de Valois, priod Owen Tudur. Mae'r rhosyn yn amlwg wrth gwrs oherwydd perthynas y teulu brenhinol â Phlas Penmynydd.

Ond sut ddaeth y rhosyn mor bwysig yn hanes y teulu? Mewn rhyfel yn y flwyddyn 479 Cyn Crist fe drechwyd byddin y brenin Xerxes gan y Groegiaid. Cyn y frwydr rhaid oedd i'r Groegiaid gyfarfod i gynllunio eu tactegau'n ofalus. Cynhaliwyd y cyfarfod mewn gardd rosynnau gerllaw teml y dduwies Athene, duwies doethineb, gallu a rhyfel. Enwyd dinas Athen ar ei hôl a chodwyd y Parthenon i'w hanrhydeddu. Yn yr ardd honno gallent gynllunio'n hollol gyfrinachol ac o hynny ymlaen daeth y rhosyn yn symbol o gyfrinachedd. Yn y cyfnod Cristnogol fe naddid rhosynnau uwchben y cyffesgelloedd i ddangos y byddai'r hyn a gyffesid wrth yr offeiriad yn hollol gyfrinachol. Byddai'r rhosyn yn amlwg hefyd ar ddrysau'r neuaddau lle cyfarfyddai'r brenin â'i lys. Mae'n debyg mai felly y mabwysiadwyd y rhosyn gan y Lancastriaid a'r Tuduriaid a chan Harri'r Wythfed ac mai felly y daeth rhosyn Eglwys Penmynydd i gael ei falurio ymhen dwy fil a hanner o flynyddoedd gan fandaliaid anwybodus.

&

— Wyddech chi fod yn rhaid i'r arlunydd Renoir glymu ei frws paent wrth ei fysedd gan fod cryd y cymalau mor ddrwg yn ei ddwylo?
— Wyddech chi fod gwragedd aristocratig yr hen Rufain yn gwisgo gwallt gosod o wallt eu caethweision?

&

FE DDYWEDIR I Urdd yr Ardas Aur gael ei sefydlu gan y Brenin Iorwerth y Trydydd (1312-1377). Fe gyhoeddodd y brenin ei bodolaeth i gadw Iarlles Caersallog rhag bod yn gyff gwawd pan ddaeth ei gardas i lawr ar ben ei thraed yn ystod dawns yn y palas. Codwyd yr ardas gan y brenin y munud hwnnw gyda'r geiriau, "Honi soit qui mal y pense" – "Drwg i'r sawl a feddwl ddrwg." Yna gorchmynnodd y brenin fod Urdd yr Ardas Aur i barhau fel prif urdd y deyrnas o hynny allan.

&

Y GORCHFYGWR sy'n dweud yr hanes yn dilyn pob brwydr ac felly yr oedd hi yn hanes y Brythoniaid a'r Rhufeiniaid. Fe ddaeth y Celtiaid drosodd i Brydain tua chwe chanrif Cyn Crist ac ymgartrefu ymysg brodorion Oes yr Haearn. Y Celtiaid felly oedd y Brythoniaid a'r Cymry cyntaf ac yn fuan yr oeddynt wedi eu gwasgaru trwy Brydain i gyd.

Dyma ddisgrifiad ohonynt o lyfr Lladin a ysgrifennwyd yn y ganrif gyntaf Cyn Crist:

> Yn gorfforol mae ymddangosiad y Celtiaid yn frawychus, gyda'u lleisiau dyfnion cras. Mewn sgwrs nid ydynt yn amleiriog ac fe siaradant ar ddamhegion gan adael llawer o waith dehongli i'r gwrandawyr. Yn aml maent yn gorddweud er eu lles eu hunain ac i fychanu eraill. Gallant frolio a bygwth ac maent yn dueddol i frygowthan. Eto i gyd meddant ar feddwl sydyn a gallu naturiol i ddysgu. Mae ganddynt feirdd telynegol a elwir yn brydyddion ac fe ganant i gyfeiliant crythau, weithiau'n ganmolus a thro arall yn ddychanol."

Fe ddengys y paragraff uchod nad oedd y Rhufeiniwr wedi dod i 'nabod y Celt ac nad oedd ganddo wir syniad am farddoniaeth y Celt (ar y cof bob amser) a'r gelfyddyd artistig oedd y tu ôl i'r ymdriniaeth o fetalwaith cywrain, a'r diwylliant llafar cyfoethog sydd i'w weld erbyn hyn yn y Mabinogi, a bu'n hadyn i'r farddoniaeth gyfoethog sydd wedi cyrraedd ei llawn dwf erbyn hyn.

&

A WELAIS ac a GLYWAIS (viii)

— "Ma' gynno fo lais da, mae o'n mynd mor uchal fel mai dim ond y slymod sy'n ei glywad o!"

— Cwynais fy mod heb esgidiau
nes gwelais ddyn heb draed.

— Does dim yn fwy gwerthfawr
na theimlo bod eich angen ar rywun.

— Mae anghyfiawnder yn unrhyw fan yn fygythiad i gyfiawnder ym mhobman.

Rhyfedd o Fyd

MAE YNA STORI DEULUOL yn dweud fel y collodd fy nain ei modrwy briodas tra'n taenu dillad i sychu ar eithin y marian. Flynyddoedd wedyn yr oedd perthynas wrth yr un gorchwyl pan welodd y fodrwy goll yn sgleinio ar sbrigyn o eithin.

Yn wythdegau'r ganrif ddiwethaf yr oedd gŵr o'r enw Tony Green yn gandryll pan gollodd ei wraig ei modrwy briodas yn y Bermo. Dair wythnos wedyn fe aethant yn ôl i'r Bermo o'u cartref yn Stourport i hel cregyn a gwelsant y fodrwy yn gorwedd yn y graean.

Yn 1897 fe briododd harbwrfeistr Casnewydd â Miss Hunter o'r un dref. Yr oeddynt yn bwrw swildod yn Dawlish, Dyfnaint, pan gollodd ei wraig ei breichled ar lan y môr. Yn 1925 aethant ar eu gwyliau i'r un traeth a phan oeddynt yn eistedd ar eu cadeiriau clwt yn gwylio'r trai fe welsant rywbeth yn sgleinio yn y tywod a dyna lle'r oedd y freichled – ar ôl wyth mlynedd ar hugain!

Ffermwraig oedd fy nain ac i orffen fe awn yn ôl i fyd amaethyddiaeth. Yn 1942 yr oedd Mrs Jane Hicks yn helpu ei gŵr yn y cae gwair pan gollodd ei modrwy. Fe'i cafwyd yn 1982 pan oedd ei mab yn aredig yr un cae.

ESTYNNAIS LYFR O GERDDI CRWYS ac ynddo yr oedd toriad papur o'r *Cymro* yn 1965 yn sôn am Crwys a'i gyfraniad i ddiwylliant gwerin Cymru. Ar gefn y papur hwnnw yr oedd "Clwb y Cymro Bach" ac ynddo gerdd i'r "Cardotyn" gan Rhiannon, plentyn deuddeg oed o Rydyclafdy. Y mae'n gerdd rhy dda i'w rhoi yn ôl yn y llyfr heb, yn gyntaf, ei rhannu â chi:

> Mae'n cysgu mewn hen 'sgubor,
> Ar gardod y mae'n byw
> Ond dwed fy mam fod yntau
> Er hynny'n blentyn Duw.

✍

COFIAF I MI FYND i'r Amgueddfa Drychfilod yn Buxton, Swydd Derby, unwaith a rhyfeddu at y cyfoeth o wybodaeth a'r wyrth o fân fywydau oedd yno. Sylweddolais fod yna fyd cyfan dan ein traed ac o'n cwmpas bob awr o'r dydd a chefais gryfach syniad o'r creu a'r Crëwr nag a gefais yn aml wrth edrych ar "Ei fawrion bethau".

Yr oedd yno ugeiniau os nad cannoedd o'r mathau o bryfed cop sydd ar gael yn y byd ond ni allai Magdalen glosio at y rheini bryd hynny gan ei bod yn dioddef o'r hyn a elwir yn *arachnophobia*. Daw'r gair hwnnw o'r gair Lladin *arachnid* sydd yn enw ar y math o bryfed a chreaduriaid ac iddynt bedwar pâr o goesau, y pryfed cop a'r sgorpionau. Daeth y gair o enw Arachne oedd, yn ôl mytholeg y Groegiaid, yn nyddwraig fedrus yng nghyffiniau Persia. Fe heriodd hi y dduwies Athene i gystadleuaeth nyddu. Yn ei brodwaith hi fe bortreadodd Arachne helyntion caru'r duwiau ond nid oedd hynny wrth fodd Athene ac fe dynnodd y gwaith yn llyfrïa a hambygio Arachne. Yn ei thrallod fe grogodd

Arachne ei hun ond fe'i trowyd yn bry copyn gan Athene.

Erstalwm fe gredid fod y pryf clustiog yn cerdded i mewn i'r glust a chreu difrod yn yr ymennydd ac mai dyna sut y cafodd ei enw. Ar y llaw arall yr oedd yna ddarlithydd yng ngholeg prifysgol Newfoundland yn mynnu bod yna lythyren ar goll yn yr enw ac mai *earswig* (*arsewig*) oedd y gair i fod, sef pryfyn oedd yn ysgwyd ei ben ôl (sigl-di-gwt felly). Mae'r calla'n colli weithia a'r gwir yw fod y gair Saesneg o leiaf fil o flynyddoedd oed ac yn dod o ddau hen air Saesneg, *eare* (clust) a *wicga* (pryf). Yr un tarddiad a roddwyd iddo gan y Cymry yn yr enw *pryf clustiog*.

Fedra i ddim cofio i mi weld englyn am y pry clustiog ond fe gaiff Ceiriog y clod am englyn i'r pry copyn:

> O'i wiw wy i wau e â – o'i ieuau
>   Ei weau a wea;
>   E wywa ei we aea,
>   A'i weau yw ieuau ia.

AR UN ADEG roedd prinder lle yn y mynwentydd. Felly rhaid oedd codi ambell sgerbwd a'i symud i'r esgyrnfa. Wrth eu codi gwelwyd, gydag un o bob 25, fod ambell arch ag ôl crafu arno a hynny'n awgrymu bod rhywun wedi ei gladdu'n fyw. Felly trefnid i glymu llinyn wrth arddwrn corff, ei ddirwyn i'r wyneb a'i glymu wrth gloch. Rhaid oedd i rywun eistedd yn y fynwent trwy'r nos i wrando am ganiad y gloch. O hynny y tarddodd y dywediadau Saesneg, "Saved by the bell" a "Dead ringer".

Yn yr hen oes toeau gwellt oedd i'r bythynnod a dyna'r lle i'r mân anifeiliaid gadw'n gynnes. Yno y byddai'r cŵn, y cathod, y llygod a'r llau yn swatio'n glyd. Ar law trwm fe fyddai'r gwellt yn mynd yn llithrig a disgynnai'r creaduriaid driphlith draphlith o'r nenfwd. Disgrifid y storm honno fel un lle bu'n "raining cats and dogs". Mae gen i ofn mentro dychmygu beth oedd tarddiad y dywediad "bwrw hen wragedd a ffyn"!

Y gair Saesneg am drothwy yw *threshold*. Ond o ble daeth y gair hwnnw? Fe allai rhai fforddio lloriau llechi yn eu tai a phan fyddai'n wlyb yr oedd y lloriau hynny'n ddigon llithrig. Yr arferiad oedd taenu gwellt, *thresh* (fel yn *threshing*) ar y lloriau rhag i'r trigolion lithro a syrthio. Gyda'r gaeaf rhoddid rhagor o wellt ar lawr nes byddai hwnnw'n sbrianu dros y rhiniog. Gosodid styllen wrth y drws i ddal y gwellt yn ei le – y *threshold* oedd hwnnw!

FE FYDD YNA gwestiynau rhyfedd a dyrys yn dod i'r wyneb yma o dro i dro! Ers tro byd bu Magdalen yn pendroni pam y mae blodau gwynion yn ymddangos yn yr union gyfnod yn y gwanwyn. Felly hefyd y blodau melynion a'r blodau cochion.

Y ffaith yw mai genynnau'r blodau sy'n penderfynu eu lliw a dim ond genynnau'r blodau gwynion sy'n cael eu deffro gan oleuni gwan ar ddechrau'r gwanwyn. Wrth i'r dyddiau ymestyn, fe ddaw digon o oleuni i ddeffro genynnau'r blodau melynion, y cochion a'r gleision.

YN 1910 FE AETH YN FAIN ar Olaf Olafson o Sweden a phenderfynodd werthu ei gorff ei hun, wedi iddo farw, i sefydliad meddygol yn Stockholm, ar gyfer ymchwil meddygol. Flwyddyn yn ddiweddarach etifeddodd swm dda o arian a phenderfynodd brynu ei gorff yn ôl. Gwrthodwyd ei gais gan y sefydliad meddygol, aethpwyd â'r achos i lys barn ac fe'i henillwyd gan y sefydliad. Yn fwy na hynny cafodd y sefydliad iawndal gan fod Olaf wedi cael tynnu dau ddaint heb ddweud wrthynt!

COFIAF WELD LLUN o aderyn yn Ynysoedd y Galapagos yn dal ffon fechan yn ei big i chwilota am gynrhon dan risgl coed. Ar hyn o bryd mae astudiaeth ar y gweill i'r modd y mae mwncïod yn defnyddio arfau ar ffurf priciau a ffyn i dyrchio am eu bwyd. O dipyn i beth, dros rai miloedd o flynyddoedd, efallai y byddant yn rhoi min ar gerrig, yn trin haearn, yn dyfeisio olwyn, yn llunio bwa saeth a dryll, yn cynhyrchu trydan ac yn llygadrythu ar fidio a DVD, os na fyddwn ni wedi eu lladd nhw i gyd ymhell cyn hynny!

DARLLENAIS GYDA DIDDORDEB am yr egni a dreulir gan un tîm rygbi mewn gêm sy'n para am ryw 80 munud. Mae'r chwaraewyr yn llosgi hyd at 21,042 o galorïau a chynhyrchu digon o bŵer i ferwi 368 o degelli yn ôl pedwar munud yr un – digon i roi paned o de i gryn nifer o'r gwylwyr. Fe gynhyrchir digon o rym hefyd i dostio 613 tafell o fara, a hynny yr un pryd.

Yn ogystal â'r dŵr poeth a'r tost fe all tîm y Gweilch gynhyrchu digon o egni i gadw 134 o sychwyr gwallt ar fynd am ddeng munud, i gadw 346 o boptai ping ar waith am bum munud a chadw 65 hwfer i hel llwch am chwarter awr.

❧

Adroddwyd yr hanesyn rhyfeddol yma wrth R. S. Barnes gan wraig o'r enw Rachel Harper:

Rai blynyddoedd yn ôl penderfynodd y Parchedig Rob Reid a'i wraig dacluso dipyn ar eu haddoldy yn Efrog Newydd. Ond fe ddaeth yn storm a disgynnodd peth o'r plaster oddi ar y mur y tu mewn i'r capel. Mewn siop elusen gerllaw fe welodd y gweinidog liain bwrdd cain o waith llaw ac fe'i prynodd i guddio'r clwt moel lle bu'r plaster.

Pan ddaeth gwraig ddieithr i mewn i'r capel fe edrychodd mewn syndod ar y lliain prydferth a'i adnabod fel lliain bwrdd a frodiodd yn Awstria cyn i'r Almaenwyr ddod i'r wlad ar ddechrau'r rhyfel. Yr oedd hi wedi ffoi am ei heinioes ond fe gymerwyd ei gŵr yn garcharor ac ni welodd y ddau ei gilydd byth oddi ar hynny. Cynigiodd Mr Reid roi'r lliain bwrdd i'r wraig ond yr oedd yn benderfynol fod y capel yn ei gadw. Fel arwydd o ddiolchgarwch aeth y gweinidog â hi i'w chartref yn Staten Island.

Yn dilyn hynny, ar ôl un gwasanaeth yn y capel, fe safai dyn gan syllu'n hir ar y lliain ar y mur. Aeth y Parchedig Rob Reid i gael gair ag ef a chael ar ddeall mai ei wraig a frodiodd y lliain 35 o flynyddoedd yn ôl ac nad oedd wedi ei gweld byth oddi ar hynny.

Aeth y Parchedig Reid ag ef i Staten Island a'i hebrwng i fyny'r grisiau i ailuno'r ddau a gollwyd ac a gaed. Ni ellid dychmygu Nadolig gwell na'r Nadolig hwnnw yn hanes y ddau ac fe welent y digwyddiad yn amlygiad pur o'r dirgel ffyrdd y mae Duw yn dwyn ei waith i ben.

❧

NID FY MOD YN CYD-FYND â'r enw ond fe â'r libart ar lan Afon Farchog yn Benllech wrth yr enw Gipsy Wood gan lawer erbyn hyn. A rheswm da paham. Yng nghanol y ganrif ddiwethaf, ar lan yr afon, mewn carafán sipsiwn o'r math gorau, y trigai Mr a Mrs Thomas a'u mab Gwilym a'r ddwy ferch (Mr a Mrs Thomas i ni'r plant, sylwch). Cofiaf fod Olwen, un o'r merched, yn Ysgol Ty'n-y-gongl ac yn eneth hynod o dlws.

Os wyf yn cofio'r enwau yn iawn fe gododd gŵr goludog o'r enw Littman ddau dŷ nobl ar waelod Ffordd Bay View, Morlais a Heather Lea, ond gorfu i'r teulu adael yr ardal pan syrthiodd y ferch dros ei phen a'i chlustiau mewn cariad â Gwilym Thomas, sef Gwilym Sipsi, oedd yn fachgen llednais a moesgar iawn.

Fe ddaeth dwy garfan o sipsiwn i Brydain o'r bymthegfed ganrif i'r ail ganrif ar bymtheg, sef y Romanichel a'r Kale. Y Kale ddaeth i Gymru. Mae'n debyg iddynt ddod o Sbaen, trwy Ffrainc, gan lanio yng Nghernyw a chyrraedd Cymru. Siaradent wahanol dafodieithoedd ond llygrwyd y Romanichel gan ieithoedd eraill ar ei ffordd i Loegr a De Cymru. Ond fe gadwodd y Kale ei phurdeb ac fe'i siaredid hi yng Ngogledd Cymru tan y 1950au.

Pan symudai'r sipsiwn i ardal newydd fe gymerent enwau lleol i amddiffyn eu hunain rhag hiliaeth. Ymysg yr enwau a fabwysiadwyd ganddynt yr oedd Boswell, Buckland, Burton, Cooper, Gray, Heron, Ingram, Lee, Lovell, Smith, Stanley, Taylor, Thomas, Wood a Young.

MAE YNA LAWER O SÔN yn y papurau am lanhad ethnig, yn enwedig pan fyddo'r tyrchio trigolion a'r symud pobl hwnnw yn digwydd mewn gwledydd eraill. Ond fe ddigwyddodd yng Nghymru hefyd ac fe'i cofir o hyd mewn tri achos gan ddisgynyddion y rhai a'i dioddefodd.

Fe ddigwyddodd ym Môn pan symudwyd plwyfolion Llan-faes i Rosyr toc ar ôl 1294 i roi bodolaeth i Niwbwrch. Llan-faes oedd prif ganolfan fasnachol Gwynedd cyn hynny ond fe'i meddiannwyd gan Normaniaid castell a thref Biwmares. Fe oroesodd y Brodyrdy am gyfnod ond wedi i'r brodyr gefnogi Owain Glyndŵr fe fynnodd Harri IV mai dim ond Saeson gâi fyw yno.

Fe ddigwyddodd yng Nghwm Tryweryn yn 1955 hefyd pan benderfynodd Lerpwl a Llundain fod dŵr yn bwysicach iddyn nhw na'r trigolion Cymraeg i ni. Chwalwyd pentref Capel Celyn, ffermydd a chapel.

Mae Mynydd Epynt ymhellach oddi wrthym ni yma ym Môn na Chwm Tryweryn ond yr un fu'r chwalfa yn 1940 pan gafodd y trigolion dri mis o rybudd i symud o'r ardal. Datgorfforwyd Capel y Babell, capel y Methodistiaid gyda'i 30 o aelodau a'i ysgol Sul gyda 25 o blant. Codwyd Capel y Babell yn 1857 a bu'r Parchedig William Jones yn weinidog yno er 1909. Ar bwys y capel yr oedd Tir Bach ac yno yr oedd Annie Mary Williams yn byw a hi gofnododd ei gofid mewn tri phennill, un ohonynt ar y gofeb hyd y dydd heddiw.

PEIDIWCH BYTH â digalonni, byddech ddarpar ddawnsiwr, datgeinydd neu awdur. Mae pawb yn wrthodedig weithiau – rêl lob oedd Churchill yn yr ysgol!

Cymerwch G. K. Chesterton yn enghraifft arall. Dyna i chi awdur cant o lyfrau poblogaidd, llawn digrifwch a difyrrwch. Ond roedd Chesterton dros ei wyth oed cyn dechrau cael crap ar ei ddarllen. Meddai un o'i athrawon wrtho, "Petaem yn agor dy ben di chaem ni ddim ynddo ond lwmp o fraster."

Ac fe aeth un gŵr ifanc am gyfweliad i geisio dechrau gyrfa ar lwyfan. Fe awgrymwyd yn fyr ac i bwrpas ei fod yn mynd adref ffordd gyntaf, gan farnu, "Fedr o ddim actio, fedr o ddim canu, mae o'n colli ei wallt a phrin yw ei allu dawnsio!" Fred Astaire oedd enw'r gŵr ifanc.

Pan glywodd Brian Epstein y Beatles yn canu mewn clwb o'r enw The Cavern fe gredai fod ganddynt rywbeth i'w gynnig. Gwrthodwyd ei syniad gan lawer o gwmnïau recordiau ac yn eu mysg gwmni Decca a'i hysbysodd, "Ewch yn ôl i Lerpwl Mr Epstein bach, mae oes y pedwarawdau drosodd."

Daeth oes y Land Rover i ben. Bydd y ffatri yn Solihull yn troi at wneud cerbydau eraill. Rhaid i ninnau gofio mai yn y Traeth Coch y cafodd Maurice Wilks y syniad o ddyfeisio car fuasai'n dod yn fyd-enwog fel un oedd yn gerbyd hirhoedlog a dibynadwy i bawb at bopeth, o'r tyddynnwr tlotaf i'r frenhines pan geidw hithau lygaid ar unrhyw un o'i stadau mawrion. Fe wnaeth Wilks gymwynas â miloedd o ffermwyr a phawb a fu'n berchennog ar Land Rover ac fe ddylai pawb sydd wedi defnyddio un ddweud gair o ddiolch wrth ei fedd ym mynwent eglwys Dwyran.

Mae yna rai yn 'nabod Tom, amryw yn 'nabod Dic a llawer yn 'nabod Harri. Mae yna hefyd ambell un yn dweud ei fod yn 'nabod rhyw Tom, Dic a Harri ym mhobman erioed! A phwy oedd y tri hyn mewn gwirionedd? Wel, brodyr oeddynt, Tom, Dic a Harri Dunsden o Swydd Rhydychen yn y ddeunawfed ganrif. Yn ogystal â hynny, lladron pen ffordd o'r math gwaethaf oeddynt, tri a ddaeth â drygioni ac anfadrwydd i bwynt o berffeithrwydd ysgeler ac yn rhan o lên gwerin yr ardaloedd am flynyddoedd lawer. Fe gafodd eu diwedd gryn sylw hefyd. Bu Dick farw yn nwylo'r plismyn ac fe grogwyd Tom a Harry yng Nghaerloyw ym mis Gorffennaf 1784 wedi noson Sulgwyn o rafio a medd-dod. Dygwyd eu cyrff yn nes adref mewn trol a'u hailgrogi ar dderwen a enwyd yn Goeden Grogi byth ar ôl hynny. Daeth llawer o bobl i weld cyrff Tom a Harry hyd yr hydref 1784, pryd y claddwyd y ddau mewn man arall. Ond gellid gweld eu cadwynau tan 1930.

Pan fydd hi'n bwrw glaw yn Sir Fôn mae hi'n stido bwrw, yn arllwys y glaw, yn pistyllu glaw, yn tywallt y glaw neu'n bwrw fel ffyn grisia. Hoffaf y darlun a geir, mewn un dywediad, o'r diferion glaw yn sboncio ar y ddaear galed: "Mae hi'n bwrw fel dannedd og." Ac yr oedd y Bardd Cocos yn llygad ei le pan ddywedodd:

> Roedd hi'n bwrw'r diwrnod hwnnw,
> Roedd hi'n bwrw fel o grwc,
> Ond roedd Noah yn yr arch,
> Wrth lwc.

Fe ddyfynnodd Nansi Richards (Telynores Maldwyn) un sylw bachog pan oedd yn bygwth glaw:

> Mae rhyw ddŵr yn ymryddhau
> Ym malog y cymylau.

Bu'r wlad dan orthrwm a llach y glaw a does ryfedd fod gennym gymaint o ffyrdd o sôn amdano. Daw i gof y stori leol honno am gynnal cyfarfod gweddi i ddeisyf glaw wedi'r sychder mawr. Ond fe ddaeth gormod o law a rhaid oedd galw cyfarfod gweddi arall i ddiddymu'r cais. Ac meddai un gweddïwr, yn chwys ac yn llafar, "Diolch i Ti am yr hyn a gawsom gennyt yn dy ras ond O! Arglwydd, iwsia dy goman sens."

Mae hi wedi tywallt y glaw, wedi arllwys y glaw, wedi stido bwrw, wedi piso bwrw, diwel y glaw, wedi bwrw cyllyll a ffyrc a hen wragedd a ffyn. Ac fe geir sawl math o law – pigo bwrw i dresio bwrw, smwc, glaw mân, glaw bras, glaw gyrru, eirlaw, glaw tyfu, glaw Mai, glaw taranau a glaw Stiniog.

Mae yna fwy nag un ystyr i *cwtsh* yn y De. Fe all olygu cofleidiad cariadus, cwt glo neu gwtsh dan staer – tri ystyr oedd ar feddwl Richard Burton mae'n debyg pan roddodd yr enw Cwtsh ar ei gartref ef ac Elizabeth Taylor yn y Swistir. Onid rhyw anheddau bychain neu lochesau diddorol oedd ym meddwl Mererid Hopwood pan weithiodd yr englyn yma o ddiolch i Iolo am ei gwmni yn ystod rhaglen o grwydro cilfachau ac arfordir Sir Benfro?

> Yn ddiddan bûm am ddeuddydd – 'da Iolo
> Yn dilyn hen drywydd
> O gwtsh i gwtsh, a'r wlad gudd
> I ni'n troi'n chwedl newydd.

O DRO I DRO fe fyddaf yn ymosod ar ambell bos croeseiriau, weithiau'n cael hwyl go dda arni a thro arall yn mynd i'r wal cyn cyrraedd hanner ffordd. Ond, llwyddo neu fethu, fe fyddaf yn meddwl am Arthur Wyn! Fe ymfudodd Arthur Wyn o Lerpwl cyn y Rhyfel Byd Cyntaf, ac o fewn pedwar diwrnod i Nadolig 1913 fe luniodd bos croeseiriau i'r *New York World*. Penderfynodd y golygydd gynnwys pos ym mhob rhifyn o'r papur ac fe ddaeth yn nodwedd bur boblogaidd. A dyna ninnau, dros gan mlynedd yn ddiweddarach, yn cael achos i grafu pen a chnoi phensal – ar gorn Arthur Wyn.

NI BU LLAWER O DDA rhwng Ffrainc a Lloegr ar hyd y blynyddoedd ac yr oedd pethau'n waeth ddwy ganrif yn ôl, yn ystod teyrnasiad Napoleon Bonaparte, a brwydr Waterlŵ yn 1815. A dweud y gwir, yr oedd Napoleon wedi tynnu pawb yn ei ben, yn cynnwys Prwsia, Rwsia, Portiwgal, Sbaen a Phrydain.

Ymladd yn erbyn Prwsia yr oedd Napoleon pan gymerwyd peth o'i eiddo personol oddi arno. Yn y man aethant ar werth yn Lloegr ac y mae'r prisiau a gafwyd amdanynt yn ddiddorol (yn yr hen bres wrth gwrs):

	£	s	d
Ei hen gerbyd	168	0	0
Sbienddrych bychan	5	5	0
Brwsh dannedd	3	13	6
Blwch snisin	160	19	6
Pâr o hen sgidiau	1	0	0
Ellyn torri barf	4	4	0

Blwch bychan	7	7	0
Brwsh	8	14	0
Darn o ysbwng	17	6	0
Crib gwallt	1	0	0
Crys	2	5	0
Hen bâr o fenyg	1	0	0
Hen ffunen boced	1	11	6

A WELAIS ac
a GLYWAIS (ix)

— Roedd Mandela'n caru cariad ac yn casáu casineb.

— Profiad yw'r enw arall am gamgymeriadau.

— Tydi sgidia'r diafol ddim yn gwichian.

— Carreg a dreigla ni fwsogla.

Mydr ac Odl

SO ENIWE

Pan fo'r iaith Gymraeg ar ei sodlau
A bratiaith o'n cwmpas yn frych,
Pan fo cyfoeth yr oesau'n llyfrïa
A cheinder ac urddas mewn nych;
Fe godwn o'n tlodi a'n llymder
A gogrwn pob gair yn ei dro
Cyn symud i godi cofgolofn
I air bach anhepgor fel "so".

Pan aiff hanes ein gwlad i ddifancoll
A'n chwedlau dros gof fesul un,
Pan fo sgwennu Cymraeg yn beth diarth
A'i sgwrsio'n aflêr a di-lun;
Fe drown oddi wrth ein gofidiau
I roi plac bach yn Neuadd y Dre
I gofio gwasanaeth diflino
Y gair bach cyfleus "eniwe".

Ac fe gawn roi'r bai ar y titshars,
Bwrdd Iaith, mewnlifiad wrth gwrs,
Y nhw sy'n *responsible* ylwch
Am sboilio pob *sentence* mewn sgwrs;
A phan ddaw dydd y gair olaf

A rhoi'r iaith i orffwys mewn hedd,
Fe fydd eniwe'n blaen, gydag eraill
Fel *so* ar garreg ei bedd.

❧

FEL Y DYWEDODD Alan Llwyd, yr oedd y diweddar Arfon Williams yn fardd mawr. Yr oedd yn englynwr cywrain ac yn berffeithydd ar yr englyn un frawddeg neu'r englyn Arfonaidd fel y'i hadnabyddid.

Ym mis Chwefror 1995 Arfon Williams oedd y gŵr gwadd yng Nghymdeithas Lenyddol Bro Goronwy a chan iddo gyrraedd ychydig yn gynnar fe arhosodd yn y car a gweithio'r englyn canlynol i'r "Eirlysiau". Fe'i cadwyd yn ofalus gan Magdalen ac yn ddiweddar cawsom y pleser o anfon copi o'r englyn i'w chwaer Gwerfyl Thomas, cyn lyfrgellydd Maesteg, ym Mhen-y-bont ar Ogwr:

Cawsom heddiw, o'r diwedd – y newydd
i'r gaeaf o'i lesgedd
garw farw ac ar ei fedd
wele, fale gorfoledd.

❧

A DWEUD Y GWIR, doeddwn i erioed wedi meddwl bod rhywun wedi cyfansoddi'r pennill "Mi welais Jac y Do". Rhyw fras gymryd wnes i ei fod wedi tyfu'n draddodiadol naturiol hefo'r iaith o niwl rhyw orffennol pell. Ond erbyn gweld, yn *Lleu*, papur bro Dyffryn Nantlle, fe'i hysgrifennwyd gan Huw Fôn Roberts o Lanllyfni yn 1930 a'i roi mewn llyfr o'r enw *Cerddi a Rhigymau i'r Plant Lleiaf*. A dyna gymwynas â phlant bach Cymru a'u mamau fu'r hen rigwm:

Mi welais Jac y Do
Yn eistedd ar y to,
Het wen ar ei ben
A dwy goes bren,
Ho, ho, ho, ho, ho, ho.

RYDYM YN GYFARWYDD â chlywed am gantorion Pentraeth
a Leila Megane, un o deulu cerddorol y Swîts. Y dyddiau
diwethaf yma deuthum ar draws englyn i'r gantores enwog
gan D. O .Jones ac fe hoffwn i chwithau ei weld hefyd:

Rhannodd gerbron brenhinoedd – y seiniau
A swynai'r canrifoedd;
I Walia wen di-ail oedd;
Odiaeth frenhines ydoedd.

MAE'N BRAF GWNEUD rhywbeth weithiau heb unrhyw
reswm dros ei wneud. Does yna ddim rheswm arbennig
dros gynnwys yr englyn hwn chwaith, dim ond i gadarnhau
ein bod yn ffodus i gael byw mewn lle mor braf, ar ynys sy'n
denu edmygedd rhai fel Lewis Moelwyn, o'r tir mawr.

MÔN

Hendre hedd y Derwyddon, – gardd enwog
O werddonau llawnion;
Daweled yw ei hoywlon
Gymydau hi, gem y don.

FE FYDDAI'R AWDURES Siân Lloyd Williams yn dweud yn aml, "Fe fethodd y gaeaf sawl tro ond fethodd y gwanwyn erioed." A dyma gerdd, o frethyn cartref, sy'n mynd i'r un cyfeiriad:

GWANWYN

Ni bu'r ddrycin mor ddyfal y llynedd,
Ni bu eira na rhew dan fy nhroed,
Unwaith eto fe fethodd y gaeaf
Â chyrraedd yn brydlon i'r oed.

Eleni daw eirlys trwy'r barrug,
Daw'r friallen i fri dan y coed;
Fe fethodd y gaeaf yn aml,
Ond fethodd y gwanwyn erioed.

&

FE ELLIR DWEUD CYMAINT am y diweddar Athro Gwyn Thomas ond ddim yn well nag a ddwed Meirion Macintyre Huws yn ei gwpled:

Un o'r adar cyffredin
A'r un pryd aderyn prin.

&

TASA GIN I LAIS! Yn ôl astudiaeth ddiweddar fe all canu mewn côr wneud y byd o ddaioni i'ch iechyd meddwl. Daeth 375 o bobl i mewn i gylch yr ymchwil, rhai yn canu mewn corau, rhai yn canu ar eu pen eu hunain neu'n cymryd rhan mewn chwaraeon tîm. Roedd lefelau iechyd a rhadlonrwydd seicolegol y tri gweithgaredd yn bur uchel ond canu corawl

oedd ar y blaen a'r cantorion hynny oedd yn cael y lles mwyaf.
O'u cymharu ag aelodau timau chwaraeon, cantorion y
corau oedd yn rhoi'r mwyaf o sylw ac arwyddocâd i'w cyd-
aelodau. Meddai Nick Stewart o Goleg Oxford Brookes,
"Mae'r astudiaeth yn dangos fod ymuno â chôr yn sicrhau
cryn iechyd a thawelwch meddwl heb orfod gwario llawer."
Â ymlaen i ddweud nad oes neb yn siŵr iawn paham y mae
cymaint o effeithiadau daionus yn deillio o ganu corawl. A
wyddoch chi?

Ac os caf i wneud rhyw ychwanegiad bach personol. Pan
fyddaf i'n canu y dyddiau hyn fe wnaf fy hun yn agored i'r
cwestiwn ystyriol a theimladwy, "Wyt ti'n sâl?"

℘

Er maint sydd yn y cwmwl tew
O law a rhew a rhyndod,
Fe ddaw eto haul ar fryn,
Nid ydyw hyn ond cawod.

Elfyn

℘

MAE MWY NAG UN wedi datgan y farn i ni fod yn ffodus y
gaeaf diwethaf o ran eira, rhew a thagfeydd. Ond nid felly
y bu hi erioed a waeth faint o ddrycin y buoch ynddi mae
rhywun yn siŵr o fod wedi gweld un fwy! Fe âi fy nain i
ysbryd y darn pan adroddai:

Storom fawr oedd storom Wicklow,
Ddim byd i'r Smeltarô,
Mestys mawr yn wellt mân.

Nid llinell wreiddiol yw'r "Henaint ni ddaw ei hunan"
sydd gan John Morris-Jones yn ei englyn i "Henaint", ond
fe ddaeth yr englyn cyfan yn adnabyddus iawn bellach.

> "Henaint ni ddaw ei hunan," – daw ag och
> Gydag ef a chwynfan,
> Ac anhunedd maith weithian,
> A huno maith yn y man.

Bu farw'r bardd-amaethwr rhadlon Dafydd Wyn Jones
o lannau afon Dyfi ym Maldwyn. Yr oedd yn gwmnïwr ac yn
ymgomiwr heb ei ail a chanddo farn fyddai'n taro'r hoelen
ar ei phen bob tro. A thu cefn i'r cyfan yr oedd yr hiwmor
cynnes oedd mor nodweddiadol ohono. Bu'n aelod o dîm
Ymryson y Beirdd Maldwyn am flynyddoedd a byddai ei
holl gynnyrch yn werth gwrando arno a'i gyfrol yn werth
ei darllen. Cafwyd teyrngedau teimladwy iddo yn *Barddas*
a dyfynnodd Gwilym Fychan yr englynion anfarwol a
weithiwyd gan Gerallt i Dafydd Wyn yn y nawdegau, a
dyma un ohonynt:

> Nid dŵr ar herc trwy yr ynn – a'r gwerni,
> nid rhyw gornant sydyn,
> Yn dawel a diewyn
> Dyfi ddofn yw Dafydd Wyn.

F E HOFFWN GYFLWYNO englyn cynnes o waith W. Rhys Nicholas, englyn a ddyfynnwyd gan Emyr Gwyn Evans yn *Y Tyst*:

FY MAM

Gwên siriol oedd ei golud, – a gweini'n
    Ddi-gŵyn oedd ei gwynfyd;
    Bu fyw'n dda, bu fyw'n ddiwyd,
    A lle bu hon mae gwell byd.

Cefais ginio mewn caffi yng Nghorc,
Cig eidion a dwy stecan porc,
    Coes oen, rafioli,
    Ŵy 'di ffrio a grefi
A'r cyfan heb gyllell na fforc.

FY NYMUNIAD

Gweld ryw adeg, ail droedio – yr undaith,
    A'r un ffrindiau eto,
    Yr un hwyl, yr un wylo,
    Yn ôl y drefn yr ail dro.

Dic Jones

RYDYM I GYD yn gyfarwydd â'r dywediad, "Cân di bennill mwyn i'th nain, fe gân dy nain i tithau." Wyddwn i ddim beth oedd tarddiad y geiriau tan yn ddiweddar yma. Fe ddaw

o hen bennill telyn am y fargen dda a ddaeth i gydymaith
Ann ar eu ffordd o'r Llan, er bod lle i gredu nad ei nain
oedd Ann! Ond y mae'n debyg fod y dywediad yn hŷn na'r
pennill hyd yn oed.

> Gwir i mi gusanu Ann
> Wrth ddod o'r Llan rai gweithiau,
> Ces y cyfan gyda llog
> Yn hwyliog yn eu holau,
> Cân di bennill mwyn i'th nain,
> Fe gân dy nain i tithau.

Mae yna sail gwleidyddol i lawer o'r hwiangerddi Saesneg,
llawer ohonynt yn gartwnau llafar ond mae'r penillion telyn
Cymraeg yn llawn serch, doethineb, profiad, ffraethineb,
natur a throeon trwstan ac yn adleisio diddordeb cyfoethog
y werin Gymreig mewn geiriau, mydr ac odlau, neu, mewn
gair arall, mewn barddoniaeth. Ac i orffen dyma ddau
bennill o'r cannoedd os nad miloedd sy'n etifeddiaeth i ni:

> Pwy ymolcha mewn pwll budur
> Os caiff ffynnon lân ac eglur?
> Pwy rydd wermod yn eu gerddi
> Os cânt gangen o rosmari?

> Af i lan y môr i wylo,
> Fe ddaw'r wylan ataf yno;
> Rhoddaf lythyr dan ei haden
> Draw i'w gario i dre Gorwen.

CŴYN O'R OES A FU!

Peth anodd yw dygymod
Â metrigyddiaeth noeth,
Â litrau ac â metrau
A miligramau'r doeth.
Roedd well gen i alwyni,
Y filltir glir a'r llath,
Roedd pwysi a modfeddi
Yn llawer gwell na'u bath.
A beth wn i am hecter
Wrth balu darn o dir?
A ydyw gram o ffisig
Yn fesur byr 'ta hir?
Rwy'n byw mewn niwl difesur
Ac anwybodaeth llwyr,
Sawl metr sydd mewn litr
A phwced, Duw a ŵyr!

FE FU PENTRAETH yn gartref i leisiau pêr ar hyd y blynyddoedd ac yn darddle i'r gerdd "Titrwm Tatrwm", un o delynegion hyfrytaf yr iaith. Fe roes gartref hefyd i dri gŵr a wnaeth eu marc yn Ewrop a'r byd, tri a seiliodd eu llwyddiant ar gerddoriaeth a chelfyddyd gain.

Ar lain o dir yng nghanol Pentraeth mae cofeb i'r tenor, yr arlunydd a'r ffotograffydd, Ifor Thomas, neu Ifor Pandy fel yr adweinid ef yn ei gyfnod fel aelod o Gymdeithas Lenyddol Bro Goronwy. Daeth yn denor enwog yn ei ddydd gan wneud enw iddo'i hun yn yr Unol Daleithiau a chanu yn y Met yn Efrog Newydd ac yn La Scala ym Milan. Roedd yn arlunydd medrus a phan gollodd ei lais fe drodd at ffotograffiaeth gan ddod yn dynnwr lluniau swyddogol i arlywyddion America.

Cyfansoddwr o Gymro yw Paul Mealor. Fe'i ganwyd yn Llanelwy, Sir Ddinbych a chafodd ei addysg gerddorol ym Mhrifysgol Efrog a'r Academi yng Nghopenhagen. Mae'n Athro Cyfansoddi ym Mhrifysgol Aberdeen ers 2003. Ym mis Ebrill 2011 fe gyfansoddodd y gerddoriaeth glodwiw ar gyfer priodas y Tywysog William a Kate Middleton ac yn yr un flwyddyn daeth hyd yn oed yn fwy adnabyddus fel cyfansoddwr "Wherever You Are", cân yn seiliedig ar lythyrau'r milwyr yn Affganistan i'w gwragedd. Canwyd y gân gan Gôr y Gwragedd a daeth i ben y siartau dros y Nadolig a bu'n fodd i'w chyfansoddwr dderbyn plât platinwm, i'w osod ar wal ei gartref ym Mhentraeth, medda fo.

Er i'r arlunydd Harry Hughes Williams dreulio llawer o flynyddodd ym Mynydd Mwyn Mawr, Llandrygarn, ym Mhentraeth y'i ganed yn 1892. Fe'i haddysgwyd yng Ngholeg Celf Dinas Lerpwl, gan ennill ysgoloriaeth i'r Coleg Celf Brenhinol yn Llundain. Arddangoswyd ei waith yng Nghymru, Paris a Llundain, llawer ohono tra bu'n athro celf a gwaith coed yn Ysgol Uwchradd Llangefni.

Ychwaneger yr awdures Mair Wynn Hughes, y bardd Ann Hughes, y dramodydd Grace Thomas, y bardd a'r llenor Dafydd Islwyn a'r llyfrbryf Paul Panton at y rhestr a dyna chi'n dechrau sylweddoli maint cyfraniad Pentraeth i'r celfyddydau. Ac i goroni'r cyfan beth fuasai hanes y diweddar John Richard Roberts ("Basso Profundo"), y bardd, yr arlunydd a'r cantor, "petai o wedi mynd yn ei flaen"?

YN ÔL Y PAPURAU NEWYDD y mae unigrwydd ar gynnydd yn ein gwlad. Aeth yr hen arferion o fodolaeth. Peidiodd yr hen arfer o adael y drws heb ei gloi ac o glywed yr hen gyfarchiadau, "Oes 'ma bobol?" a "Dowch i mewn". "Tydw i ddim wedi gweld neb ers wythnos," yw'r gŵyn yn aml bellach. Serch yr holl drefniadau mae unigrwydd, iselder ysbryd a digalondid yn rhemp yn ein gwlad. Beth sy'n waeth na distawrwydd llethol pan fyddwch wedi arfer â bod yng nghanol hwyl a miri iach? Does dim rhaid ond troi atom ein hunain a meddwl pwy allwn ni eu helpu mewn unigrwydd felly:

DISTAWRWYDD

Awelon gŵyl yn anwylo
Arian baderau'r gwawn,
Y crëyr yn difer-gymuno
Yn seintwar y pyllau mawn;
Y gwlith yn gosod hualau
Ar ddiliau alaw y llyn
A'r wawr yn rhuddo'r blodau
Yn nrych y diferion gwyn.

Ni theimlais awel y mynydd
Yn gwrido 'ngruddiau ers tro,
Llef yw mudandod y crychydd
Ymysg dirdyniadau bro;
Rhygniad coes fy un gadair,
Sŵn traed yn prysur bellhau,
Distawrwydd dyn yw'r hualau
Sydd heno amdanaf yn cau.

ROEDD GAN GYFAILL I MI o Rosfawr ffrind a fyddai'n hoffi cynnwys pennill bach yn ei lythyrau bron yn ddieithriad. Bûm yn meddwl llawer am darddiad y pennill. Tybed a oes un ohonoch chi wedi ei glywed neu ei weld yn rhywle? Dyma'r pennill:

> Colli iechyd, colli'r cyfan,
> Colli capel a'r dadlau diddan,
> Colli golwg, colli clywed,
> Colli darllen a cholli cerdded,
> Colli ymson, colli'r miwsig,
> Colli ffydd a fu mor bwysig,
> Yn fy hiraeth trwm a'm galar
> Colled drymaf colli cymar.

> Roedd llanc o Fôn yn gadael
> Ei fro am wledydd pell
> A mentro dros y moroedd
> I wledydd llawer gwell;
> Ac wrth i'r mab ffarwelio
> Â'i annwyl fam yn lwys
> Rhoes ei dwy fraich amdano
> A sibrwd wrtho'n ddwys.

> "Mae cariad mam yn fendith
> Ble bynnag fydd dy hynt,
> Mae hi yn rhan ohonot
> Fel yn dy febyd gynt.
> Fe weli di ei cholli
> Pan fyddo yn ei bedd
> A thithau, doed dy amser,
> Yn barchus iawn dy wedd.

Mi fyddi wedi priodi,
Yn dad i ddau neu dri
Ac wrth i'r plantos dyfu
A dringo drosot ti,
Fe fyddi'n falch ohonynt
Ac yn yr hwyl a'u sbri
Fe ddywedi dithau'r pethau
A glywaist gennyf i."

᷾

MIS MAI

Hen fuwch y borfa uchel – heb aerwy
      A bawr heddiw'n dawel,
   A dail Mai fel diliau mêl
   Wedi rhoswellt y rhesel
                              Ieuan Jones

᷾

AR UN ADEG fe anfonodd codwr canu lythyr i'r *Cerddor*
(golygydd, J. Lloyd Williams) yn gofyn am gyngor ynglŷn
â'i broblem gerddorol. Gobeithio y caiff "Helbulus" eich
cydymdeimlad chwithau fel y'i cafodd yn wengar gen innau.
Dyma'i lythyr:

   Annwyl Olygydd
      Hoffwn gyngor gennyt ti neu un o ddarllenwyr
   Y Cerddor ynglŷn â'm blinder gyda'r *Lady Organist*. Nid
   na fedr yr organyddes chwarae'n ddigon da i gapel o'r
   maint hwn pe dewisai ond yn anffodus y mae'n hunanol,
   yn fympwyol ac yn oriog. Ar brydiau cymer yn ei phen

i foddi'r canu gyda sŵn yr organ, nes cyfyd teimladau annuwiol ynof. Dro arall, ar ôl cadw amser cytûn ag eiddo'r gynulleidfa cymer y ffrwyn yn ei phen ac *off a hi*, mewn amser cyflymach.

A dyma beth arall. Fel tithau, y mae'n gas gan fy nghalon waith llawer o organyddion yn rhoddi cord o flaen pob pennill, neu weithiau bob llinell. Dro ar ôl tro ceisiais ei darbwyllo o afresymoldeb y peth ond yn ofer. Er gwaethaf pob ymdrech o'r eiddof y mae *Her Ladyship* yn gwneud ati i geisio fy rhagflaenu. Ddoe bûm yn ymliw â hi ond yr unig amddiffyniad oedd ganddi oedd dweud mai dyna'r *fashion* rŵan.

Pe cawn i fy ffordd mi rown y *sack* iddi ond pan soniais am hynny wrth y gweinidog, dyma hwnnw'n erfyn arnaf i beidio gwneud dim i'w ddigio gan fod ei thad yn flaenor a'i theulu yn lluosog ac yn bur gefnog. Be' andros sydd i'w wneud? Byd helbulus ydi byd y canu yma,

John. (Helbulus.)

꧁

Bu farw'r arweinydd cerdd Meredith Davies, y gŵr a gyfarwyddodd y Requiem gan Benjamin Britten yn seremoni ailgysegru Cadeirlan Coventry. Wedi gwasanaethu yn y fyddin adeg y rhyfel fe'i penodwyd yn organydd St. Albans ac yna Henffordd. Bu'n arweinydd Cymdeithas Gorawl Birmingham, Cerddorfa Vancouver, y Gymdeithas Gorawl Frenhinol a'r Philharmonic yn Leeds. Ar ddiwedd ei yrfa bu'n bennaeth Coleg Cerdd y Drindod o 1979 i 1988.

Cerddor arall a fu farw oedd Gwydion Brooke, y chwaraewr baswn dawnus oedd yn troi yng nghylchoedd uchaf y byd cerddorol a gŵr a benodwyd yn Athro yn yr Academi Frenhinol yn 1960.

Athrawes ac awdur oedd Myfanwy Thomas, yn ferch i Edward Thomas, y bardd a'r llenor enwog a laddwyd yn Arras yn 1917. Ymysg amryw o gyfrolau eraill fe gyhoeddodd Myfanwy farddoniaeth ei thad a gwaith ei mam, Helen Thomas. Yn 1961 dadorchuddiwyd ffenestr liw o waith Laurence Whistler i goffáu'r ddau yn eglwys Eastbury ger Swindon. Yr oedd Laurence Whistler yn frawd i Rex Whistler a luniodd y murlun enwog ym Mhlas Newydd, Llanfair-pwll.

Ond mae'n debyg mai'r golled fwyaf i Gymru oedd marw'r hanesydd, Syr Glanmor Williams. Yn fab i ddiacon yn Nowlais fe ddaeth yntau yn ddiacon yng Nghapel Gomer, Abertawe. Yr oedd yn awdurdod ar Gymru'r Canol Oesoedd ac fe ysgrifennai mewn arddull gryno a chain, yn y Gymraeg a'r Saesneg. Yn 1957 fe'i penodwyd i'r Gadair Hanes yng Ngholeg y Brifysgol, Abertawe. Fe'i hetholwyd yn Gymrawd yr Academi Brydeinig a'i urddo'n farchog yn 1995.

MAB I ALFRED oedd Robert Graves (1895-1985), awdur y clasur o lyfr, *Goodbye to all That*, sy'n adrodd hanes ei glwyfo ar y Somme ac yn dinoethi llawer o erchyllterau'r Rhyfel Byd Cyntaf. Bu clywed ei briod yn canu alawon Cymru ar ei thelyn yn fodd i ddeffro diddordeb Alfred Graves mewn barddoniaeth Gymraeg. Sylweddolodd mor unigryw ydoedd, gymaint ei hunigoliaeth, ei hynodrwydd a'i arwahanrwydd oddi wrth farddoniaeth gwledydd eraill y byd. Swynwyd Graves hefyd gan y gynghanedd. Synnai'n ddirfawr fod Lloegr a gweddill y byd mor anwybodus a di-hid o drysorau llenyddol Cymru. Cyfieithodd nifer o gerddi Cymraeg i'r Saesneg.

MAE PAWB YN CAEL ambell ddiwrnod anodd weithiau – "diwrnod y ci du" fyddai Winston Churchill yn galw diwrnod felly. Hoffwn rannu'r penillion yma gyda chwi, petai ond er cof am y diweddar annwyl Morgan D. Jones – emynydd, bardd, gramadegydd a chyn athro Cymraeg yn Ysgol Ramadeg Maesteg:

> Weithiau ar ambell ddiwrnod du,
> Heb ddim yn mynd yn iawn o'm tu,
> Pob gorchwyl blin yn mynd yn fwrn
> A'r cig yn llosgi yn y ffwrn;
> Y ffôn yn canu yn ddi-daw,
> A'r dillad allan yn y glaw;
> Y post yn dod â biliau mawr
> A'r peiriant golchi'n torri i lawr,
>
> Babi'n sgrechian yn ei grud,
> A rhywun yn y drws o hyd.
> Er gwaethaf hyn fy nghysur yw,
> Yng nghanol holl helbulon byw,
> Nad ar ryw ddiwrnod tawel mwyn,
> A'm byd yn llawn o gân a swyn,
> Ond gyda'r llanast dros y lle –
> Ar ddydd fel hwn y daw Efe!

Yn fy nghopi o'r *Caneuon Ffydd* yn y capel y mae'r englyn hwn gan Iwan Wyn Jones ac fel arfer byddaf yn cael cip arno wrth droi i'r emyn cyntaf ar nos Sul:

> Dewch i agor ei gloriau, – profwch wefr,
> Profwch hud y geiriau;
> Yn hwn fe gawn lawenhau
> Yn unedig ein nodau.

℗

FE FYDDAI FY NAIN yn arfer dweud ei bod yn perthyn o bell i T. H. Parry-Williams ond cyndyn oeddwn i goelio bodolaeth y fath fraint. P'run bynnag, mewn munud gwan, mi ddychmygais i mi gael sgwrs â'r prifardd a bod y fath beth yn agos i'r gwir a daeth cawod o linellau breuddwydiol trosof. Mi fuasai "I Wish" yn bennawd da i'r pennill hwn!

> Dy lais a'm swynodd yng Ngregynog blas
> Yn sgwrsio am yr Oerddwr a Rhyd-ddu,
> A lled gyd-weld â mi mai o'r un tras
> Dy nain a'r eiddof innau ddyddiau fu.
> Ped felly, sut y bu i'th Wyrfai di
> Gael, ymhob cymer ar ei ffordd i lawr,
> Gryn rin o'r dyfroedd bywiol, a'm bod i
> Fel Llyn y Gadair wrth dy gefnfor mawr?
> Ni roed i mi'r athrylith crefftus siŵr,
> Y gofal gwylaidd na'r geiriadol hud,
> Na'r dycnwch parod a'th gwnaeth di yn ŵr
> Enynnodd gariad pawb a drodd i'th fyd.
> Tra nad wyf i ond crafiad bach ar foelni maith
> Rwyt ti'n anhraethol fwy na chysgod craith.

Os cofiaf yn iawn, William Griffith, Hen Barc, Llanllechid (awdur "Defaid William Morgan") weithiodd yr englyn hwnnw i'r ceiliog:

> Y ceiliog a'i glog liwgar – yw'r crafwr
> Cryfaf ar groen daear;
> Dodwyedig dad adar,
> Cywir ei dôn, cariad iâr.

A hawdd i mi yw cymryd at ei englyn i'r "Mynydd", a chaf hel meddyliau am heddwch godidog Mynydd yr Arwydd Eithin ym Modafon:

> I mi, hynaws yw'r mynydd – ac yno
> Canaf gyda'r hedydd;
> Yn yr haf caf dramwy'n rhydd
> O hualau'r heolydd.

Fel y dywedwyd eisoes, fe fethodd y gaeaf sawl tro, meddan nhw, ond fethodd y gwanwyn erioed. A'r dyddiau hyn mae'r gwanwyn fel petai wedi penderfynu aros. Roeddwn innau'n edrych ar un o ddyddiaduron Owen Jones, Garnedd Wen a Minffordd – cymysgedd diddorol o grefydd, amaethyddiaeth, penillion a hanes lleol. Ac yno, yn eu canol, yr oedd un pennill oedd yn ddieithr iawn i mi:

> Mi welais aeaf oer ond aeth
> I'w feddrod caeth i huno,
> A heddiw gwelaf wanwyn tlws
> Yn curo'r drws am groeso.

BU LLAWER O YSGRIFENNU am Sir Fôn erioed ac ambell gymal neu frawddeg wedi glynu ar dafod leferydd ein gwerin hyd y dydd heddiw. Mae'n ddiddorol gwybod eu tarddiad weithiau. Un o feirdd Cymraeg mwyaf y bymthegfed ganrif oedd Lewys Glyn Cothi. Cadwyd ei waith yn Llyfr Coch Hergest (yn Rhydychen!), ac y mae casgliad John Davies, Mallwyd o'i waith yn y Llyfrgell Brydeinig (yn Llundain!).

> Ynys yw Môn o henaint,
>> Ynys yw hi lawn o saint …
> Ynys Fôn, ynys fyw'n iach;
>> Felly Ynys Afallach.
> Os hardd Ynys y Werddon,
>> Och im! on'd harddach yw Môn?
> Nos da i'r Ynys Dywell,
>> Ni wn oes un ynys well.

> Mae gen i iâr a cheiliog
> A brynais ar ddydd Iau,
> Mae'r iâr yn dodwy wy bob dydd
> A'r ceiliog yn dodwy dau!

YR OEDDWN YN HEN GYBYDDUS â'r hen bennill yma ond wyddwn i ddim tan yn diweddar mai ystyr y gair *cockney* yw wy ceiliog. Ystyrid trigolion y trefi yn giwed fursennaidd gan bobl y wlad a'u galw'n "wyau ceiliogod". O dipyn i beth, cyfyngwyd yr enw i ddinasyddion Llundain, yn enwedig y rhai a anwyd yn sŵn clychau eglwys Mary-le-Bow, yn ardal Cheapside.

FE ALL BEIRDD CYMRU ddal eu pennau i fyny ymysg y rhai sydd yn ysgrifennu yn Saesneg hefyd. Ymysg fy ffefrynnau i y mae W. H. Davies, R. S. Thomas, Wilfred Owen, Idris Davies – a Dylan Thomas hefyd pan fydd o ddim yn ysgrifennu yn yr iaith y mae'r Saeson yn hoffi ei chlywed gan y Cymry. Crwydryn oedd W. H. Davies a fo ysgrifennodd y gerdd "Leisure" sydd yn dechrau gyda'r cwpled enwog:

> What is this life if, full of care,
> We have no time to stand and stare?

Ac nid W. H. Davies oedd yr unig grwydryn diwylliedig yn ein llenyddiaeth Gymreig chwaith. Bu Dewi Emrys, awdur yr englyn enwog, "Y Gorwel", ar ddisberod am ugain mlynedd hefyd:

> Wele rith fel ymyl rhod – o'n cwmpas,
> Campwaith dewin hynod;
> Hen linell bell nad yw'n bod,
> Hen derfyn nad yw'n darfod.

MARY WILLIAMS O DALYLLYCHAU soniodd wrthyf am un o'r dywediadau a glywid gynt yn Sir Gaerfyrddin. Pan oedd un hen wraig yn stryffaglio i geisio gwneud rhywbeth ond yn methu oherwydd y gwynegon, neu'r cryd cymalau, fe fyddai'n dweud, "O Sara Sara." Tybid i'r dywediad darddu o hanes gwraig Abraham oedd wedi methu cael plant hyd nes iddi fod mewn cryn oedran. Roedd Mary Williams yn byw y drws nesaf at efail Thomas Lewis (1769-1842) y gof-emynydd a luniodd y pennill enwog:

> Wrth gofio'i riddfannau'n yr ardd
> a'i chwys fel defnynnau o waed,
> aredig ar gefn oedd mor hardd,
> a'i daro â chleddyf ei Dad,
> a'i arwain i Galfaria fryn,
> a'i hoelio ar groesbren o'i fodd;
> pa dafod all dewi am hyn?
> pa galon mor galed na thodd?

Onid oes yna arwyddocâd arbennig i'r geiriau "aredig", "â chleddyf ei Dad" ac "o'i fodd"? Claddwyd Thomas Lewis ym mynwent Abaty Talyllychau, lle mae bedd tybiedig Dafydd ap Gwilym. A dyma englyn Monallt, o'r *Genhinen* 1956, i efail Thomas Lewis yn Nhalyllychau:

> Gefail y sanctaidd gofion – oriau poen
>   Y Gŵr pur o galon;
> Fe ddaeth o'r nefoedd i hon
> Yr angel uwch yr eingion.

O DRO I DRO, diolch am hynny, fe gaiff dyn ei hun yng nghanol pwll o fwynhad pur. Felly y bu hi hefo mi wrth lansio dau lyfr sy'n rhan annatod o gyfraniad diweddar Ynys Môn i lenyddiaeth Gymraeg. Mae William Owen yn unigryw yn ei allu i roi gwên ar wynebau ei gydwladwyr, a hynny, ynghyd â'i ddawn i drin y sylweddol, sy'n gwneud ei lyfrau mor boblogaidd. Hyfryd oedd cael dathlu cyhoeddi ei gyfrol *Dal i Frygowthan* a dod wyneb yn wyneb â pherlau fel hyn (a rhaid yw dethol yn fyr):

> Roedd hi'n fore hyfryd. Nid diwrnod sâl i gyrchu
> yno 'doedd bosib; un tyner braf, y math a geir ar dro

yng nghanol Mawrth, yr awel yn fwyn, yr awyr yn las, pelydrau'r haul yn anwesu ein gwegiliau, y ddaear fel petai ar fin ymystwyrian wedi'r hirlwm, yr adar yn paratoi i ddechrau nythu, ambell amaethwr yn troi ei dir, y gwanwyn yn ei bygwth hi o bob cyfeiriad. Lle dymunol wedi'r cwbl oedd Sempringham, dim tebyg i'r hyn yr oeddem wedi ei ddisgwyl.

A phleser pur hefyd oedd lansio cyfrol John Idris Owen yn Ninbych. Yr oeddwn gyda'r awdur yr holl ffordd o Farian-glas i Lanbedr-goch ac o Galiffornia i'r môr. Gem o lyfr eto yw *Cnegwarth o Had Maip* gyda'i Gymraeg rhywiog yn pefrio o'r tudalennau. Fel brodor o Fro Goronwy ni allaf anghofio cymeriadau fel J. C. Parry, Robat Mathews a Thwm Ty'n Felin – na chwaith barot parablus Siop Tabernacl a allai wyrdroi cymdeithas gyfan gydag ychydig eiriau dethol:

> Dro arall, 'roedd Seth Owen, Olgra Fawr, yn aredig efo pâr o geffylau gwedd mewn cae cyfagos. Pan fyddai'n dod i ddiwedd cwys fe fyddai'n gweiddi cyfarwyddiadau a gorchmynion i'r ceffylau – pethau fel 'We' a 'We Back'. Ar ganol cwys fe benderfynodd y parot roi ei big i mewn a gweiddi rhibi-di-res o gyfarwyddiadau nes ffwndro'r ceffylau a chynddeiriogi Seth Owen. Fel arfer, fe fyddai cwysi'r Olgra Fawr yn union syth, ond y prynhawn hwnnw fe ddirywiodd y grefft o aredig yn arw.

Dyma ddau awdur caboledig sydd wedi rhoi oes aur yr iaith Gymraeg yng Ngharreg-lefn a Bro Goronwy ar gael i ni, ac ar gof a chadw hefyd, am byth. Fe fyddwch i gyd wrth eich bodd hefo'r ddau lyfr yma.

Diolch i chi am ddod hefo mi cyn belled â hyn. Does gen i ond gobeithio i'r gyfrol roi i chwithau ryw ran fach o'r pleser a gefais i â geiriau ar hyd y blynyddoedd.

Credaf ein bod yn freintiedig iawn o gael byw mewn dau fyd a mwynhau meddwl, darllen, siarad, gwrando, dysgu ac ymddiddori mewn dwy iaith gyfoethog o gri ein geni hyd ein holaf gŵyn. Diolch.